＼アフリカとアメリカ、ふたつの視点／

思いもよらない
日本の見かた

ジェイソン・モーガン 談｜星野ルネ 談・漫画

育鵬社

プロローグ

私が初めて星野ルネさんのことを知ったのは、数年前、『週刊新潮』を読んでいたときのことです。カメルーンに生まれ、その後日本で育った漫画家という紹介文が星野さんの写真に付いていて、とても短い記事でしたが興味を駆りたてられました。

その後、パソコンで星野さんのことを調べたら、『アフリカ少年が日本で育った結果』（毎日新聞出版）をはじめ、漫画を何冊も出されていることがわかりました。星野さんが出演するインタヴュー動画も見て、自分が編集に携わっている『JAPAN Forward』のためにインタヴューがしたくなり、連絡をとってみました。ふたつ返事で応じていただき、取材することになりました。

当時はまだコロナ禍が世界を苦しめていたので、オンラインで兵庫県の星野さんの実家と千葉県の大学の私の研究室を繋いでの取材です。とても輝かしい笑顔でご挨拶をいただいたのち、カメルーンや漫画など、まず公に知られていることについていろいろと聞いてみました。

しかし取材しているなかで、星野さんは漫画家というひとつの枠に収まりきれない方で、ほんとうに幅広くいろんな物事を鋭く観察され、且つ深く考えられているのだと理解しました。多様性の話になった際、「人間と人間がどうやってうまく共生すればいいのか」と訊いたら、「お互いにリスペクトを持って、相手の尊厳を大切にする」という回答がありました。

私も人間の尊厳には強く興味を持っているので、取材のために用意した平易な質問はやめ、深掘りして星野さんの思想や理念について聞くことに、急遽(きゅうきょ)方向転換しました。どんなに複雑で多岐にわたる質問を投げかけても、星野さんはその場でじっくり考えて、とても新鮮で面白い答えを返してくださいました。星野さんの職業は漫画家ですが、天職は思想家だと痛感しました。

『JAPAN Forward』にはそのときのインタヴューが無事に掲載されましたが、もっと星野さんの考えを伺いたいと思い、大学まで来ていただきました。ランチを食べながら星野さんととても楽しく議論をして、対談本をつくりたいとまで想いを至らせました。

育鵬社でお世話になっている田中亨さんにその旨、打診のメールを送りました。田中さんには快くそのアイディアに乗っていただき、結果、三人でランチをすることになりました。そのとき三人で交わした会話は、私にとって理想的なコミュニケーションでした。

星野さんが最初のインタヴューのときに仰った通り、お互いにリスペクトして、人間の尊厳を尊重しながら、さまざまな意見が飛び交い、とても活発で充実した議論となったのです。あっという間に閉店時間となり、議論は途中で打ちきらねばならなくなりましたが、そのときに決心したのは、私と星野さん、それから田中さんと、違う国や環境で生まれ育った三人がそれぞれ違った見解を持っていることを活かしたい、引いては対談ではなく鼎談（ていだん）本にするべきだということです。

とりあえず、ランチのときに楽しんだ三人の議論をまとめて、その原稿をたたき台に星野さんと田中さんに加筆していただくよう試みました。しかし残念ながら、その試みでは実際の議論で感じられた高揚感や新鮮味を覚えることができませんでした。どうしたものかと悩みながら、二年ほど原稿が私のＰＣで眠ってしまい、鼎談本というアイディアがどんどん遠い夢のようになっていきました。

そんななか、田中さんからメールが届きました。星野さんとの本は実際の議論をベースにして、それを文字に起こしてつくってみませんか、とのことでした。「是非」と即答しました。フリーランス・ライターの前屋毅さんにチームに加わっていただき、星野さん、田中さん、前屋さんと四人で議論を展開しました。

お陰さまで再び生き生きとした議論ができて、さまざまなテーマについて自由に意見を交換しました。飛躍の多い私の会話スタイルもあって、非常にまとめにくい音声記録になってしまったと申し訳なく思っていたのですが、前屋さんには構成的にも文章的にも非常にわかりやすくまとめていただきました。

その原稿に、私、星野さん、それから田中さんが少し手を加えました。その結果が、あなたがいま手にされている本です。

こんなに世界が激動しているのですから、日本が変わりつつあるのも当然のことです。しかしその変化のなかで、変わらないことは確実にあります。人間同士の尊厳を尊重して、日本という国の良さをしっかりと見つめていけば、どんな未来が来ても対応できると確信しています。それを教えてくれたのは、この鼎談本をつくる過程で得た経験でした。

是非、本書を読んでください。そして是非快く会話に加わっていただきたい。そうなれば、鼎談者のひとりとしてこのうえなく幸せに思います。

二〇二四年二月吉日

ジェイソン・モーガン

◎目次

第三章　日本人の政治観

第四章　幸せについて

第五章 文化の壁

第六章 死とサムシング・グレート

序章

どこから、ふたりは日本にやってきたのか

●電気もガスもないジャングルの近く

編集部　おふたりに自己紹介も兼ねて、日本にやってきた経緯をお話しいただけますでしょうか。まずは、星野さんからお願いします。

星野ルネ（以下、星野）　出身はアフリカのカメルーン共和国です。カメルーンのなかでも南のほうにある村で、首都ヤウンデからはクルマで一日もかかります。ヤウンデから森のある郊外までの道は舗装されていますが、椰子(やし)やバナナの木などが見える森のなかの道は舗装されていなくて、赤土の道が延々と続いています。すぐ南に赤道があるので気候は熱帯雨林で、近くには海があります。

その赤土の道をクルマで走っていくと森のなかに入っていき、点々と小さな村があります。五キロとか一〇キロ間隔くらいで村があり、ひとつの村には四〇人から五〇人くらいの人々が住んでいます。そうした村に共通する景色は、椰子の木があり、バナナの木が生えていて、イモ類のキャッサバの畑がある、といった具合です。

そして、どんな小さな村にもキリスト教会があります。掘っ立て小屋のような建物や、木造だったり土壁だったりと建物はいろいろですが、教会だけは絶対にあります。

僕が生まれたのも、そうした村のひとつで、ジャングルの近くです。生まれたころには水道も電気、ガスもありませんでした。

編集部 日本の姓ですが、ご両親のどちらかが日本人だったのですか。

星野 ちょっと複雑ですが、ほんとうの両親はふたりともカメルーン人です。ふたりが別れた後に、母が日本人の父と再婚したので、僕は日本の姓になったわけです。

編集部 ご両親が出逢ったのはカメルーンだったのですか。それとも、日本でだったのでしょうか。

星野 カメルーンです。父は、京都大学の霊長類研究所で所長を務めた河合雅雄先生の下で霊長類を研究していました。

霊長類を研究する人たちは、〝自分の猿〟を手に入れたい（笑）。〝自分の猿〟というのは、自分が専門に研究する猿のことです。河合先生はニホンザルでしたし、京都大学総長も務めた山極壽一先生ならゴリラです。

誰も研究していない猿を専門にしないと、〝自分の猿〟にはできません。そこで父が選んだのが、マンドリルでした。マンドリルは、よくマントヒヒと間違えられますが、マントヒヒは平原にいる猿で、マンドリルは木の上のほうを群れで移動しています。

そのマンドリルを研究するために、父は母の住んでいた村にやってきました。マンドリルが住んでいる地域の情報を頼りに、いろいろな村を訪ね歩いたみたいです。村によっては閉鎖的なところもあったようですが、母の村は外国人にフレンドリーな村でした。父だけでなく、ヨーロッパやアメリカからも研究者がやってきて、さまざまな野生動物の研究拠点にしていたようです。

編集部　お父さんも村を拠点にして、マンドリルの研究をされていたわけですね。村の近くにマンドリルが多く生息していたのですか。

星野　よく勘違いされますけど、人間が住んでいる近くに動物たちが暮らしているわけではありません。日本でカメルーンの村の話をすると、「ジャングルの近くだと、怖い動物たちがやってきて大変だね」と言われたりしますが、動物たちは頭がいいから人間の住んでいるところには近づきません。人間に危害を加えられますからね（笑）。だから、人間の行動範囲には近づいてこないので、人と動物が出くわすこともありません。

研究者が野生動物の生態を観察するときには、ジャングルの奥深くに入っていって、そこにキャンプを設営して研究するわけです。村の男性たちは研究者のために道を切り開き、キャンプ設営を手伝う仕事をしていました。そして女性たちは、キャンプで料理とか洗濯を担当します。僕の母も、そういうキャンプの仕事をしていたわけです。

マンドリルの研究はあまりされていなかったので、もの凄く難しかったようです。だからこそ、〝自分の猿〟にできるんですけどね。研究は遅々として進まなかったようですが、ただ、母との関係はどんどん進んでいったようです（笑）

編集部　出逢って、すぐに、おふたりの仲は進展したということですか。

星野　そういうことではなかったようです。父の研究は何年にもわたるもので、その間に日本とカメルーンを行ったり来たりしていました。出逢って最初のころは恋愛関係ではなく、仕事の関係でしかなかったようです。

母の村には、さっきも言ったように、父だけでなく多くの研究者が来ていました。外国人だけでなくカメルーン人の研究者もいて、なかに植物学の研究者がいたそうです。彼が僕の実の父になります。

その彼と母は恋愛関係になったけれど、結婚までにはいたらず、別れてしまう。そのあとに父と恋愛関係になるのですが、そのときにはお腹に赤ちゃんがいた。その赤ちゃんが僕です。

お腹に赤ちゃんがいると知って父は悩んだみたいですけど、「自分の子として育てていく」と決心する。そして、結婚して母も日本に行くことになるわけです。

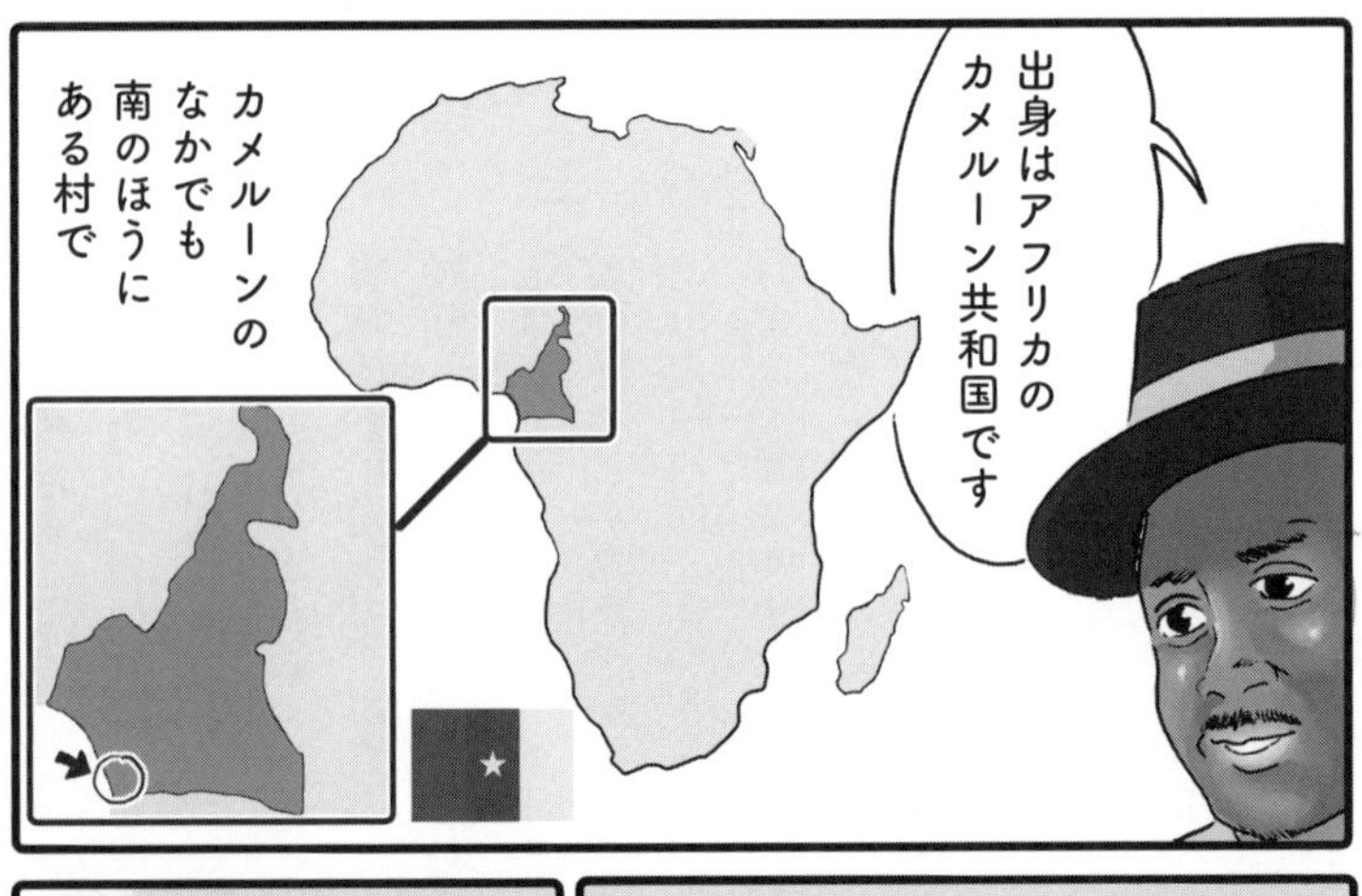
出身はアフリカのカメルーン共和国です
カメルーンのなかでも南のほうにある村で

首都ヤウンデからはクルマで一日もかかります

ヤウンデから森のある田舎あたりまでの道は舗装されていますが

ヤシやバナナの木などが見える森のなかの道は舗装されていなくて
赤土の道が延々と続いています

すぐ南に赤道があるので気候は熱帯雨林で近くには海があります

森の間の
赤土の道では
五キロとか
一〇キロ間隔
くらいで村があり
ひとつの村には
四〇～五〇人くらいの
人々が住んでいます

そうした村に共通する景色は
椰子の木があり
バナナの木
イモ類の
キャッサバの
畑があると
いった具合です

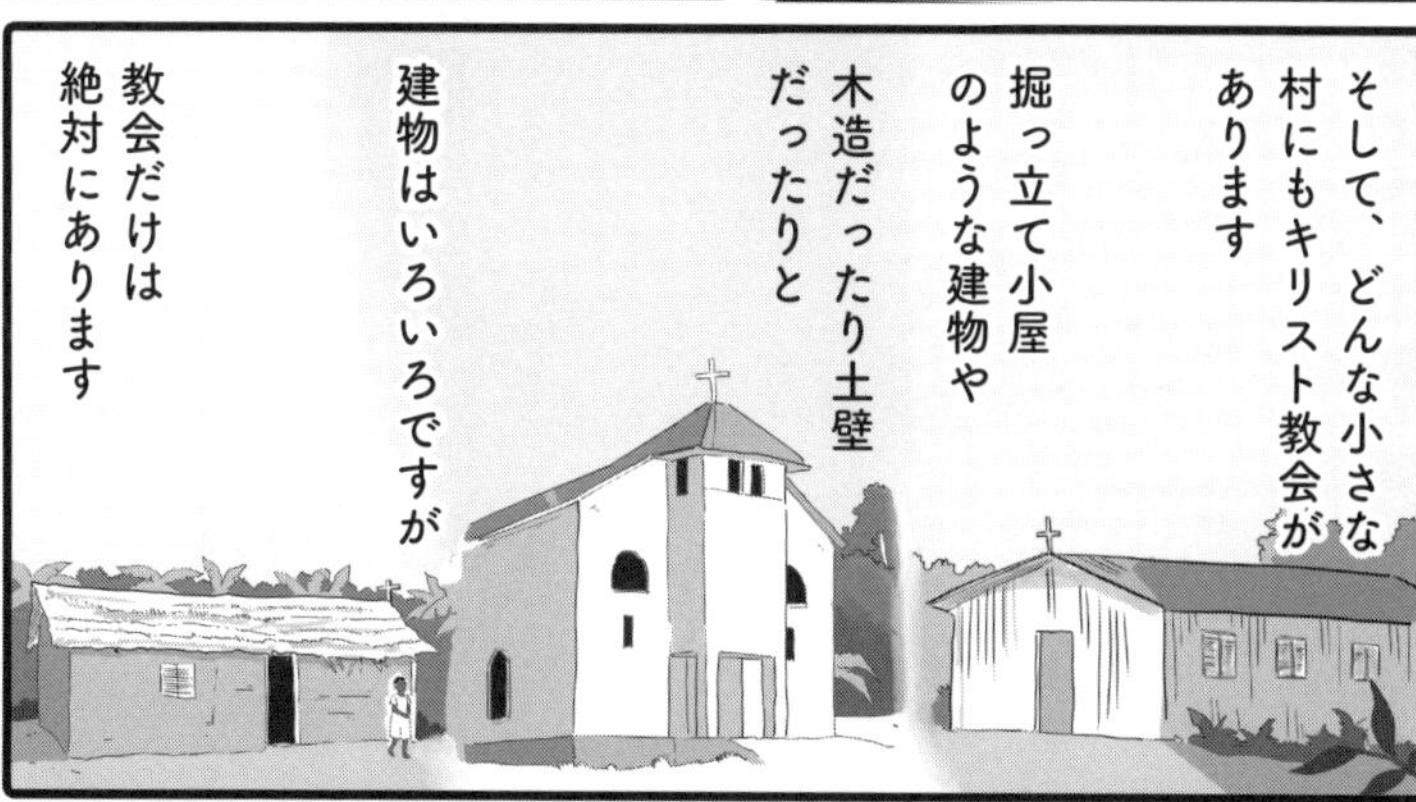
そして、どんな小さな
村にもキリスト教会が
あります
掘っ立て小屋
のような建物や
木造だったり土壁
だったりと
建物はいろいろですが
教会だけは
絶対にあります

僕が生まれたのも
そうした村のひとつで
ジャングルの近くです
生まれたころには
水道も電気、ガスも
ありませんでした

編集部　結婚するために、お母さんの両親に承諾を得ることになると思いますが、日本とは風習が違っていたりするのですか。日本だと、両親の前に正座して「お嬢さんをください」とか挨拶しますけど……。

星野　父は日本人で日本的な発想しかなかったので、向こうの両親のところに行って「娘さんと結婚させてください」と言ったらしいです。そうしたら、「そうじゃない」と言われてしまった。

拒否されたわけではなくて、「この村では、村人全員を集めて、その真ん中で結婚の話をすることになっている」と説明されたそうです。

ジェイソン・モーガン（以下、モーガン）　村の人、みんなの許可が必要だということですか。

星野　許可……？

許可というか、承認ですね。村の人が知らないところで結婚が成り立つのではなく、村の人が承認するなかで結婚が成立するという考えです。キリスト教の結婚式でも、「異議があれば申し出よ」と神父が出席者に言いますけど、あれと同じではないでしょうか。

モーガン　教会の結婚式では、ありますね。なるほど、あれと同じ意味があるわけですね。

星野　日本の考えかたとは違うから、「大変だな」と父は思ったらしい。それでも母のことを好きだったので、数日後に村のみんなを集めて、そのなかでやったそうです。

編集部　それで結婚されて、すぐに、お母さんはお父さんと一緒に日本にやってこられたわけですか。

星野　そうではありません。父はカメルーンでの研究があるし、母も赤ちゃん、つまり僕が生まれて大変だから実家にいたほうが楽だと考えたのかもしれません。そのうち、僕が三歳のときに弟が生まれます。弟は、母と日本人である父の子です。

編集部　すると、何歳のときに日本にやってくることになるのですか。

星野　僕が四歳のときです。兵庫県姫路市にある大学に父が正式に迎えられたので、家族全員で日本にやってきて、姫路市での生活がスタートしました。

●日本語のわからない生活がスタート

編集部　日本で暮らすようになったとき、日本語は話せたのですか。

星野　まったく話せませんし、理解もできませんでした。使えたのはカメルーンの公用語であるフランス語と、僕が生まれた村の言葉である「ンヴァイ語」だけでした。

編集部　日本語がわからないのでは、日本での生活は大変だったでしょうね。

星野　両親は、とりあえず僕を幼稚園・保育園（併設型だった）に預けようとしました。手続きをするために園を訪ねたのですが、担当してくれた先生からは「外国人の園児を受け入れた経験もないし、うちでは難しい」と言われたそうです。「英語は話せますか？　英語が大丈夫なら、私たちも勉強しながら対応できるかもしれませんが、フランス語と部族語しかわからないと答えると、先生もお手上げ状態だったようです。

編集部　結局、その幼稚園・保育園には入園できなかった、ということですか。

星野　それが、入園できたんですよ。英語もできないのではダメだという話を先生としているときに、たまたま園長先生が園の様子を見に来たらしいのです。ふだんは、あまり園に顔を出さないようで、ほんとうに、たまたまだった。

園長先生が「どうした？」と先生に話しかけて、先生は「アフリカの子供が入園したいと来ているのですが、まだ日本語も話せないし、英語もダメで、フランス語しか話せないようなので無理かと」と説明したらしいです。それを聞いて園長先生は、「ええがな、入れたったらええがな。なんとかなる」という反応だった。

その園長先生は、良い意味で無責任だったのかもしれません。責任感が強いと、入園させても充分に面倒を見られないから問題が起きる、とか考えるはずです。しかし、その園長先生は考えなかった。「そのうち日本語も覚えるだろうから、大丈夫」くらいの考えだったのかもしれない。とはいえ、現場の先生にしてみれば、「えーっ!」ですよね（笑）。それで、幼稚園・保育園に通うようになりました。

編集部　それで、すぐに日本語は理解できるようになったのですか。

星野　先生は気を使ってくれて、着ている服を指しながら「ふく」とか、食べるゼスチャーをしながら「たべる」など、一生懸命教えてくれました。それでも、すぐには日本語を覚えられませんよ。

三ヶ月くらいは、ひと言もしゃべりませんでした。日本語がわからないのだから、しゃべりようもない。ただ、ほかの園児がしゃべるのを、じーっと見ていました。

三ヶ月が過ぎたころに、ようやくひと言目が出てきました。たしか、「ボク・・モ・・アソブ（僕も遊ぶ）」だったみたいです。ひと言が出てきてから次から次に日本語の単語が言えるようになった。半年が経つころには、簡単な会話もできるようになりました。一年で、友だちと日本語で普通に遊んでいました。四歳や五歳の園児だと日本人でも、そんなにボキャブラリーが多いわけではないので、すぐに追いつけたのだと思います。

小学校に入るころには、言語能力という意味では日本人と差はなかった。日本人と同じように話していました。

編集部　日本語が話せない時期は、ほかの子たちとのコミュニケーションはまったくなかったということですか。

星野　それが、そうでもなかったのです。絵を描くというコミュニケーション・ツールが僕にはありました。日本語は話せなくても、自分の描く絵をほかの子たちが見て褒めてくれるのはわかる。カメルーンでも父に紙や鉛筆をもらって、いろいろ描いていた気がします。

言葉はわからなくても、絵でコミュニケーションはとれていたと思います。それがあったので、日本での生活が始まっても、いじめられたり疎外感を味わうこともありませんでした。

日本で暮らす外国にルーツのある子供とちょっと違っていたのは、絵という居場所があったことかもしれません。日本って「漫画の国」というか、絵を描く子も多いし、絵が上手いと「これ描いて」と頼まれて、描いてあげると友だちになれる。「芸は身を助く」という諺がありますが、僕の場合は絵に助けられました。

僕がいまも絵を描きつづけているのは、あれが原点になっていると思います。絵がコミュニケーション・ツールだったし、居場所でもあった。いまの僕の仕事も、その延長線上にあると思っています。

編集部　ご両親とは何語でコミュニケーションをとっていたのですか。

星野　母とはフランス語でした。父親とは、どうだったのかな？　最初のころはフランス語で話していたのは覚えています。

家で『スター・ウォーズ』『エイリアン』『E.T.』などのテレビ放映を、家族で見ていましたが、日本語吹き替えなので、母と僕は台詞がわからない。そこで、「なんて言ってるの？」と父にフランス語で訊くわけです。それで、台詞を父がフランス語に訳してくれる。テレビで映画を見るたびに同時通訳をやらされていたので、父は大変だったと思います（笑）

ご両親とは何語でコミュニケーションをとっていたのですか
母とはフランス語でした

父親とは、初めのころはフランス語で話していたのは覚えています

家で『スター・ウォーズ』『エイリアン』『E.T.』などのテレビ放映を家族で見ていましたが
日本語吹き替えなので母と僕たち兄弟は台詞がわからない

そこで「なんて言ってるの？」と父にフランス語で訊くわけです
それで、台詞を父がフランス語に訳してくれる

あれは？
何でそうなるの？

筋書きのことは俺も知らないよ！
テレビで映画を見るたびに同時通訳をやらされていたので父は大変だったと思います（笑）

●「オシノ」がいっぱい

編集部　日本に来る前は、日本に対してどういうイメージを持っていたのでしょうか。

星野　あまり日本を意識したことはなかったはずです。僕が二歳か三歳のころには、村に残っていた日本人は父だけでした。

母は父のことを「オシノ」と呼んでいました。「HOSHINO」をフランス語的に読むと、「オシノ」なのです。フランス語では文頭のH（アッシュ）は発音しませんから。それで僕も、父を「オシノ」と呼んでいました。

肌の色も違うので父親という感覚もあまりなくて、「母親の友だち」くらいの感覚でした。自分は母の子だけど、「オシノ」は弟の父親でしかない、うまく説明できないのですが、なんか微妙な感覚だった気がします。

編集部　肌の色が違うと、やはり違和感があるのでしょうね。

星野　僕にとっては、肌の黒い人がスタンダードです。肌が黒くなくて髪もサラサラの「オシノ」は変わった生物、特殊な生物くらいに思っていました。「オシノ」が姓だという感覚もなかったはずです。

編集部　にもかかわらず、肌が黒くない、日本人ばかりの社会で暮らすようになったわけですね。

星野　日本に来て衝撃的だったのは「オシノ」がいっぱいいたことでした。あの衝撃の大きさは、いまでも、忘れられません。自分にとっては「変わった生物」でしかなかった「オシノ」が、いっぱいいる。「オシノ」しかいない。もう、衝撃でした（笑）

編集部　それは逆のことも言えそうですね。日本人からすれば、星野さんのような人は「珍しい存在」になるはずです。

星野　幼稚園・保育園では珍しがられました。そしてそれは、小学校でより顕著でした。そのことが嫌で嫌でたまらなかった。

幼稚園・保育園は狭い地域の子だけで人数も少ないから、すぐに慣れてしまったのだと思います。しかし小学校は広い地域から集まってきて子供の数も多いから、そのなかで僕は目立つ存在でした。だから、違うクラスとか違う学年の子が僕のことを見に来るわけです。

編集部　そうなりますよね。とくに子供は遠慮がないから、好奇心そのままに動いてしまう。当人にしてみたら、たまりませんよね。

星野　そのとき助けてくれたのが、同じクラスだった幼稚園・保育園のときの友だちでした。

ほかのクラスから僕を見にやってくる子たちに、「いちいち見に来んなよ！」とか言って追いはらってくれました。運が良かった。

編集部　追いはらってくれる子も大変だったでしょうね。そうやって好奇の目で見られる期間は長く続くのですか。

星野　いいえ、三ヶ月くらいでした。いろいろな子が僕を見に来たけれど、飽きてしまうのですね。三ヶ月もすると飽きちゃって、僕も普通の子と同じようにしか見られなくなりました（笑）

●行けばいいんだ

星野　小学生のとき、二度、カメルーンに帰っています。最初は小学一年生の冬だったと思います。そのときは、一年くらいカメルーンにいました。

編集部　四歳で来日してからですから、三年ぶりくらいのカメルーンですね。久しぶりのカメルーンは、どんな印象でしたか。

星野　そのころは、カメルーンに住んでいたときの記憶はすっかり薄れてしまって、自分も「オシノ」になってました。アフリカに対するイメージも、日本人のステレオタイプそのものでした。なんか動物がいっぱいいて、あちこちで紛争があって、マラリアとか日本では馴染みのない病気があるとか、アフリカに対してネガティヴなイメージのほうが大きかった気がします。だから、アフリカ出身ということに誇りを持てなくなっていたと思います。

編集部　日本人のアフリカに対するイメージがあまりポジティヴではないですから、そういう環境のなかで暮らしていると、影響されてしまうのかもしれません。

星野　ヨーロッパ諸国とかアメリカの出身で白人であれば、日本人が憧れたりするところがあるじゃないですか。

編集部　それも日本人のステレオタイプですからね。そういう影響も受けていたのかもしれませんね。

星野　ヨーロッパの国とかアメリカの出身だったら良かったのに、と小さいころは思いました。「カッコいい」と言われたり、憧れられたりするじゃないですか（笑）。アフリカ出身だとバカにされたり、蔑むように見られているという思いが強かったです。アフリカ出身というのが、とても嫌でした。

編集部　日本人的な感覚になってしまっている小学生がカメルーンに帰ってみて、実際の印象はどうだったんですか。

星野　それまで日本にいてアフリカに対して持っていたネガティヴなイメージなんてどうでもいいや、という感じでした。アフリカを誇れない気持ちばかりが強くて、だからアフリカやカメルーンについては断片的な情報しか持ち合わせていませんでした。

そんな状態でカメルーンに着いてみると、もう目に入ってくるものが、すべて真新しい。着てる服からヘアースタイル、街から流れてくる音楽、会話のリズム、料理の匂い、いままで知らなかったものが、どんどん入ってくる。どれも刺激があって、不思議で面白くて、楽しくてたまらない。街を移動するだけで、ずっと楽しい。日本にいたままだったら、こんな楽しい気分にはなれなかっただろうと思うくらい楽しいところでした。

編集部　カメルーンに帰る機会がなかったとしたら、そういう気分を味わうこともできなかったし、カメルーンに対してネガティヴなイメージを持ったままだったかもしれませんね。

星野　どうでもいい情報に振り回されていた、と本気で思いました。そして、「行っちゃえばいいんだ」と痛感しました。僕の場合は、「帰ってみたらよかった」ですけどね。

伝わってくる情報というのは、「出涸(でが)らし」だけです。カメルーンについての情報がバケツにいっぱいあっても、それが伝わってくるときには肝心な情報は取り去られて、出涸らしの情報しか伝わってこない。落とされてしまっている情報にこそ、無限の楽しさが含まれている。

ほんとうの楽しさを実感するには、現地に行ってみるしかない。

編集部　貴重な体験をしたわけですね。ずっと日本に住んで、カメルーンに帰ることがなかったら、ほんとうのカメルーンを知ることはできなかった。

星野　行かなかったら、ずっと誤った情報に振り回されていたかもしれません。日本で売られている世界地図を見ると、日本が真ん中にあって、アフリカは端っこです。しかも伝わってくる情報は、未開の地で経済発展もしていないというものばかり。まわりの友だちも、「大変な地域からやってきたんだね」といった雰囲気で見てくるわけです。そういうなかで僕も、「故郷は大変なところなんだ」という意識を持ってしまった。

　ところがカメルーンに帰ってみると、地図はアフリカとヨーロッパが真ん中にあって、日本は端っこでした。日本にいると伝わってこないけど、楽しいことだってたくさんありました。もう何だったんだ、と思いました。偏った情報でつくられたイメージの檻のなかで自分は苦しんでいたのか、と思い知らされました。

編集部　カメルーンに帰ってみたことで、星野さんの視野が広がった。日本にいたら視野は狭いままだったかもしれません。

星野　そうだと思います。無茶苦茶広がった。もう、凄かった。

カメルーンから日本に戻ってきた自分は、カメルーンに帰る前とはずいぶん違っていました。日本の友だちが僕を見ても、カメルーンに行く前と変わらなかったはずです。しかしカメルーンから帰ってきた僕は、アフリカやカメルーンのことを悪く言われても前のように気にしなくなっていました。前なら、悪く言われると、ひどく落ち込んでいました。それが、「こいつは知らないから、仕方ないか」と思えるようになりました。あの楽しさを知らないヤツが何を言おうと、「勝手に言ってろ」という感じ。「お前の知らないことをオレは知っているから」と、自信を持てるようになりました。行ってみるって、ほんとうに大事だと思います。

編集部　小学一年生の冬にカメルーンに帰って、どれくらいの期間をカメルーンで過ごしたのですか。

星野　一年くらいだったと思います。父は研究の関係で、カメルーンと日本を行ったり来たりしていましたが、母と僕と弟、そのころは妹が生まれていたので、四人は一年くらいいました。母にしてみたら、滅多に帰れないのだから、それくらいいるのが普通だったみたいです。いまでも、帰ると半年から一年くらいはいますからね。

編集部　お母さんにしてみたら、生まれ育ったところですからね。日本と違って視界を遮るものがなくて広々としていそうだから、居心地がいいのでしょうね。

星野　日本は便利だし、住みやすい国だと思います。でも、故郷って、やはり代えがたい存在だという気がします。不便だろうが、多少のトラブルがあろうが、やはり故郷は故郷であって、便利さ以上に居心地の良さみたいなところがある。

編集部　カメルーンに帰ってみての出来事は、このあとに聞くとして、その前に次は、モーガンさんの自己紹介的な話を聞きましょうか。

●ルイ・アームストロングが育った貧しいところ

モーガン　私が生まれたのはアメリカ、ルイジアナ州南部のニューオリンズの隣にあるメテリーという地域でした。モーガンという姓は、四〇〇年くらい前にイギリスからアメリカ大陸に渡ってきた一族のようです。詳しいことはわかりませんが、曾祖母がネイティヴ・アメリカンのチェロキー族の血を引いていました。

そもそもニューオリンズはフランスの植民地として設立されましたが、スペイン領となったこともあり、複雑な歴史を持っています。そのためか、いろいろな人たちが暮らしていて、文化も入り交じっています。

編集部　アメリカといっても同じルーツではないわけですね。フランスの植民地だったというのは、ある意味、星野さんのルーツと共通しているかもしれません。

モーガン　私の生まれ育ったルイジアナ州南部には、よくハリケーンが来襲します。豪雨と暴風はもちろんですが、いちばん怖いのは「storm surge（高潮）」という、津波のような現象です。ハリケーンのとても強い風が海を押し上げて、ニューオリンズという盆地を水浸しにするわけです。そうなりますと、ワニや毒ヘビなどが〝出来立ての湖〟を動き回ります。ときにはワニが人を丸ごと食べてしまったという話を耳にします。

ハリケーンに伴う危険にはもうひとつあります。都市部のマンホールが洪水の勢いで外れてしまうのですが、そこに吸い込まれる水の渦巻きです。巻き込まれたらひとたまりもありません。ハリケーンはとても怖い。

ある日、父の家出で独り身になった母と、弟と三人で親戚の家にいました。ハリケーンが近づいていると知って、私たち三人は急いで自宅に帰ろうとしましたが、間に合わなかった。途中で道路が水没していて、クルマではもう進めません。降りて、私と弟は母に抱っこしてもらいました。暴風雨が続き、水位が股くらいまで上がってきているなか、母が一歩ずつ前進します。母は恐れず、私たちを守ってくれ、なんとか家に着きました。幸いにも洪水は我が家の玄関までは届きませんでした。

四〇年くらい前の話ですが、振り返ってみると、そのときの母は凄かった。ワンダーウーマンでした。小柄ながら、私と弟を両手で持ち上げ、濃いネズミ色の濁流のなかを一歩一歩家に向かっていた母は、そのとき、「恐怖」という言葉の意味がわからないかのように見えました。

どこの国でも同じく母親というものは我が子のために自らの犠牲を厭いません。そう考えますと、やはり全世界の人々は兄弟だと思います。みんな、ワンダーウーマンの子です！　日本に来て、岐阜でもとても心が温かくて、芯の強いお母さんに出会えました。妻の母親も温かくて強い女性です。母親という存在は凄いです。全世界の人々を繋げて、全世界の人々を兄弟にするのは、母の愛の普遍性ではないかとまで考えています。

私がメテリーに住んでいたのは赤ちゃんのときだけです。その後、スライデルという、沼地に近い、ミシシッピー州に隣接するルイジアナの田舎に引っ越しました。一〇歳のころ母が再婚した相手、私にとっては義理の父ですが、その父の仕事の関係で中西部北東にあるオハイオ州に移りました。そこにいたのは三年で、その後は南部のテネシー州で育ちました。

私が日本を意識するようになったのは、祖父の存在が大きかったと思います。祖父はニューオリンズで暮らしていましたが、そこはジャズ史上最初の天才といわれたトランペット奏者のルイ・アームストロングが生まれ育ったところでもありました。

祖父が幼年時に暮らしていたころ、ニューオリンズは白人と黒人の住む場所が明確に区別されていて、アームストロングが育ったのも黒人が多く住む地域でした。貧しい地域で、祖父の家も非常に貧しかったようです。さっきも言ったように曾祖母、つまり祖父の母親がチェロキー族出身だったこととも関係しているかもしれません。

編集部　モーガンさんが日本を意識するようになったのは、お祖父さんの存在が大きかったということですが、お祖父さんが日本と関係があったということなのでしょうか。それが、モーガンさんが日本に住むようになったきっかけだとすれば、良い関係だったように思えます。

モーガン　一九四一年一二月七日（現地時間）に日本軍がハワイの真珠湾にあったアメリカ海軍の太平洋艦隊を攻撃して、日米戦争が始まります。それで、祖父は、どうせ徴兵されるなら、海軍のほうが危なくないだろうと思ったようで、海軍に入りました。陸軍はちょっと怖いということで海軍を選んだそうです。

海軍に入隊して国内の訓練などが終わってから、空母「プリンストン」と「ボノム・リチャード」に配置され、日本軍と戦うことになります。祖父は甲板員として飛行機の離着陸に関係していたので、たくさんのパイロットとも仲が良かった。そのパイロットが、離陸して二度と帰らないという経験が何度もあったそうです。

祖父が乗っていた空母は一九四四年一〇月のレイテ沖海戦で、日本軍の攻撃を受けて沈没しています。そのとき祖父が乗艦していたかどうかははっきりしないのですが、たくさんの同僚を亡くしたのはたしかです。それから、生き残った祖父は、占領軍の一員として半年くらい日本に滞在することになります。

編集部　多くの戦友を殺されて、実際に自分も戦った国に上陸するにあたっては複雑な心境だったのではないでしょうか。

モーガン　最初は、日本で襲われて殺されるかもしれないと心配したようです。ところが上陸してみたら、日本人から大歓迎されたそうです。かつては敵だったけれどもいい国だな、と祖父は思ったそうです。

大歓迎されたこともあったけれど、日本との開戦に踏み切ったフランクリン・ルーズベルト大統領を、祖父は嫌っていたことも影響していたかもしれません。日本との戦争は必要なかったし、滞っていたアメリカ経済を立て直すために戦争を選択しただけのことだと、祖父は考えていたようです。祖父だけでなく、多くのアメリカ人が同じように考えていたと聞きました。

それもあって、日本が悪いと決めつける気持ちはなかったようです。もちろん、戦った相手国ですから、一〇〇パーセント好感を持っていたわけではないはずで、いろいろな葛藤はあったと思います。たとえば、私が幼かったころ、祖父が人生で初めて日本のクルマ、ホンダを購入したときのことはいまでもはっきり覚えています。その直前までアメリカ車を買うことにしていたようですが、ついに日本の車を買ったというわけです。

そういう葛藤はありながらも、日本に良い印象を持っていました。

生まれ育った
ルイジアナ州
南部には
ハリケーンが
よく襲来
します
ルイジアナ州

豪雨と
暴風は
もちろん
伴いますが
一番怖いのは

「storm surge」
という津波のような
現象です

ハリケーンの
とても強い風が
海を押し上げて
海水が防潮堤を越えて
溢れてニューオリンズ
という盆地を
水浸しにするわけです

そうなりますと
ルイジアナ州南部に
たくさんいる
ワニや毒ヘビ
などが
その「出来立て」の湖を
泳ぎ回ったりして
ワニが人間を丸ごと
食べたという話は
たまに耳にします

マンホールは洪水の勢いで
よく外れて下水道へ
吸い込まれる
水が
激しい
渦巻きを
つくります
ルイジアナの
ハリケーンは
とても怖いです
こわっ…

ある日、父の家出で
独り身になった母と
弟と三人で親戚の
家にいました
ハリケーンが
近づいていると
知って、私たち三人は
急いで家に
帰ろうとしましたが

間に合わなかった
のです
帰り道、
途中で道路が
洪水で
運河になってしまって
クルマはもう進めません

降りて、私と弟は母に
抱っこ
してもらいました

股の真ん中ぐらいまで
上がってきた洪水のなか
そして吹き荒れる風と
激しく降る雨のなか
母は一歩ずつ前進しました

母は恐れず
私たちを
守ってくれました
やっと家に着いたら
幸い、洪水は玄関先までで
止まっていました
四〇年経ったいま母の勇敢さを
振り返って考えると
ワンダーウーマンでした
小柄ながら
激しい洪水のなかを
私と弟を抱え
怖れず進む姿は
まるで「恐怖」ということを
知らないかのようでした

編集部　日本との関係について、具体的にお祖父さまと話をしたことを覚えていますか。

モーガン　私が小さいころ、たまたまだったのでしょうが、読書が大好きだった祖父の本棚から一冊の歴史の本を取りました。そのなかで原爆の写真を見て、「これは何なの？」と祖父に質問したことがあります。アメリカ軍が広島に原爆を投下したときの写真だと説明してもらって、「自分の国が、こういう酷いことをやったのか」という感想を持ったのは覚えています。

原爆投下について、祖父は「良かった」とも「悪かった」とも言わなかったはずです。ただ、戦争を終わらせる手段として仕方なかった、避けられなかったという言いかたをしていました。

しかし、祖父も完全に肯定していたわけではないと思います。そもそも戦争の必要性を認めていない祖父が、大勢の一般国民を殺す野蛮な行為を認めるわけがありません。ただ、空母に乗っていて、祖父も含めて誰もが早く故郷に帰りたいと思っていた。早く帰るには一日でも早く戦争を終わらせる必要があり、そのためには仕方ないとも考えていたかもしれません。

●サッカーで日本と近くなる

編集部　お祖父さんと日本の関係だけが、モーガンさんが日本に住むきっかけになったのですか。

モーガン　私が三歳か四歳のころ、うちの向かい側にキミコさんという日本人が住んでいました。石油会社に勤めていたアメリカ人のご主人が東京で勤務していたときに知り合って結婚したようです。そのキミコさんが私をとても可愛がってくれて、鯨が描かれた日本のお箸をもらったりしていた記憶があります。それも、私が日本に良い印象を持つきっかけのひとつにもなったと思います。

編集部　お祖父さんとキミコさん、小さいころから日本と縁があったのですね。ほかにも日本との繋がりはありましたか。

モーガン　大学生のころ、ちょっとメンタル的に弱っていて、大学に行かずに、大学の近くに借りていたアパートに引き籠もって、ドストエフスキーなどの重厚な作品を読みふけっていた時期がありました。それから学校に戻ろうとしたときに、サッカーからやろうと思ったのです。高校時代にサッカーをやっていたので、大学に戻るきっかけにしようと考えて、大学のサッカー部、というよりも非常にインフォーマルなサッカークラブ、サークルみたいなグループに入りました。

そのサッカークラブがワールドワイドで、スリランカや中国、フランスなどいろいろな国の人が集まっていました。なかに日本人もひとりいて、ほぼ同い年のウエダさんと仲良くなりました。

一緒にサッカーをして一年くらいしたときに、彼が日本に帰国することになったのです。日本に興味があった私は、「日本に遊びに行きたい」と彼に伝えました。遠回しな言いかたではなく、グイグイ押すようなストレートな表現で「行きたい」と言いました。そのあたりはアメリカ人的なんですね（笑）。それでウエダさんも、「じゃあ、来てください」ということになって、彼の故郷である岐阜市に行って、一ヶ月くらい彼の家でホームステイさせてもらいました。

編集部　一ヶ月も滞在したということは、よほど岐阜市での生活が快適だったのでしょうか。

モーガン　その通りです。ウエダさんの家族とは、いまも仲良くしています。数年前にウエダさんのお父さんが亡くなって、七回忌のときには私の妻と参加させてもらいました。お中元やお歳暮も、毎年欠かさない関係です。

そのホームステイで、「日本には心がある」と実感しました。心から接してもらって、それが心地いい。

たとえばフランスに行っても、三日もいれば帰りたくなります。観光旅行をして、それで終わり、みたいな感じです（笑）。父方の祖母がフランス人ということで、フランス人の血が私のなかに流れているのに、フランスはただの外国にすぎなくて、「ずっとフランスにいたい」

とは思いません。しかし日本はまったく違います。日本以外の国では何度も騙されたし、とくに旅行者だと騙されます。そういうことが、日本ではありません。

編集部　騙されることが、あるのですか。

モーガン　騙されます。とくにひどいのはイタリアかな。レストランでメニューに書かれている値段と、請求される値段が違う。メニューの値段以外にいろいろ加算されていて、支払いのときに「えーっ！」となりました。とくに観光客だと、騙しやすい相手だと見られるようです。

星野　日本人の観光客が海外で狙われると聞きますね。日本人は優しいし、口に出して抗議したりしないから、狙いやすいというイメージがあるのかもしれません。でも、モーガンさんはアメリカ人だから、そういうふうには見られないのではないですか。

モーガン　人を信じてしまうタイプだから、そこを見抜かれてしまうのかもしれません（笑）

星野　僕も同じタイプかもしれません。日本にいても、募金とかホームレスの人とか、外国から来たけれど、おカネがなくて困ってるからおカネをくれって、よく声をかけられます。雰囲気でわかっちゃうのかな。

モーガン　そういうときに、おカネをあげてしまうタイプですか。

星野　うーん、ときどき、あげてしまうかな（笑）

モーガン　話を戻すと、アメリカにいると常に緊張感を強いられているような気になってしまいますが、日本ではそれがない。アメリカは常に自己主張を強いられる環境ですが、どちらかというと私はシャイな性格なので、そういう環境は辛い。アメリカの社会では疎外感を覚えてしまいます。だから、あまり自己主張を強いられない日本の環境は、私にとっては居心地がいいのかもしれません。

編集部　アメリカでシャイな性格だときついかもしれませんね。パーティなどがあって積極的に振る舞わなければいけないといったイメージがあります。

モーガン　社交的な場が、私は非常に苦手です。パーティはパニック状態に陥ってしまいます。緊張を強いられて、疲れ果てる。

日本では、人と人の間に一定の距離がある。自分を必要以上に押しつけてこないし侵害してこない、相手にも必要以上の積極性を求めてきません。ひとりの人、個性を認める姿勢が日本人にはあるという気がします。

そういう日本の居心地の良さを実感したのは、とくに子供に対する日本人の考えかたに接したときでした。子供に対しても、ひとりの人間として日本人は接します。そういう考えかたがあることを、私は日本に来て初めて知りました。

アメリカ人にとっては、三歳児や四歳児は、ただうるさいだけの存在でしかありません。走りまわって、物を壊すだけの存在で、「静かにしろ」としか思わない。

ところが日本人は、泣いている子がいると、大人は「どうしたの？」と話しかける。しかも、姿勢を低くして視線を合わせるようにします。それは、子供でもひとりの人間だと認めているからです。

編集部　日本でも、ただ「うるさい！」と怒鳴るだけの大人は少なくないと思います。モーガンさんがホームステイしたウエダさんのまわりにいた方たちが、たまたま寛容だっただけかもしれない。

モーガン　日本に来てみて感動したのは、日本人が人の気持ちをまず否定しないところでした。まずは、そのまま受け入れてくれる。それは私にとって、大きな発見でした。

編集部　そういう傾向はあるかもしれません。モーガンさんがいらっしゃる学者の世界では、「(相手を) 言い負かしてやる」という発想が強いかもしれませんが、一般の人の場合は、そういうことがあまりない気がします。意見が合わなくても、お互いに不満なところはあるかもしれないけれど、ちょっと違う方向で調整しましょうか、と日本人はなりますね。

モーガン　そうです。ちょっと気まずい場面でも、無意識に相手のことに気遣いをしているところが日本人にはあると思います。

極端な例かもしれませんが、デモの様子をテレビで見ていても、被害者側の人が加害者側に向けて「人の心を大切にしろ」とマイクで叫んでいる。驚きました。アメリカではあり得ません。アメリカだと、「お前たち嘘つきだ」とか「人を騙すな！　弁償しろ！」とストレートな表現です。相手への気遣いがないからです。日本の場合は、人の心が大切になっていて、だから住んでいて居心地がいいのだと思います。

●辿りついた日本

編集部　モーガンさんの専門は中国ですから、中国にも行かれたことがあるわけですよね。中国に住もうとは思わなかったのですか。

モーガン　日本に来て漢字の美しさに触れて、中国語に興味を持ちました。そこで中国から日本に留学していた学生に中国語を教えてもらい、それから中国の雲南大学に留学しました。中国にいたのは、わずか五ヶ月くらいです。中国に住みつづけるのは無理だと思いました。無理です、無理（笑）

中国人とアメリカ人はほぼ同じで、アメリカ人の性格を最大化したのが中国人だと思います。

自己主張の強さは、アメリカ人以上です。ニューヨークでさえ道を歩くときにはちょっとだけ譲り合いますけど、中国人は絶対に譲らない。「勝つのはオレだ！」という感じで、絶対に譲らないでぶつかってきます。それは、若い人でも年寄りでも同じです。

編集部　しかも中国人の話しかたは、普通に話していてもケンカしているようにしか聞こえない。声も大きくて、「中国の人がいるな」とすぐにわかります。

モーガン　中国で勉強して、中国の歴史は面白いと思いました。しかし、中国に住むのは無理です。

中国史とアメリカ史は似ていて、「覇権を取る」というストーリーでは共通しています。だから中国史はアメリカ人の私にも理解しやすくて、自分の専門にしたくてハワイ大学の大学院で二年間、中国史を学びました。これからも、中国史の研究は続けていくつもりです。

編集部　そのまま、ハワイで研究活動を続けようとは思わなかったのですか。

モーガン　ハワイでは、最初は大学の寮にいて、そのあとアパートでひとり暮らしをしていました。部屋に引き籠もって分厚い本を読みふける生活は快適だったのですが、それでは食べていけません。

生活費を稼ぐために、韓国で英語の先生になる仕事を見つけました。英語を教えながら、たくさんの本を読む時間もあったので快適でした。韓国にずっと住みたいと、本気で思ったくらいです。

ただ問題があって、それで韓国に住むのを止めてしまいました。それは、日本に対する韓国人の偏見の強さです。もう、半端じゃないです。

韓国の学校で英語を教える一環として、時々教育に関するレクチャーを受けます。そこには、韓国での英語教師を希望して英語圏から来た人たちが集まっていました。

英語授業のレクチャーですから、政治も歴史も関係ないはずなのですが、ある日、突然に韓国の近代史の授業がありました。初めから終わりまで、「いかに日本は悪いか」のオンパレードで、日本を責める内容でした。ほかの参加者も、「このプロパガンダは何だよ」と怒っていた。韓国系アメリカ人もいましたが、彼らも怒っていました。

星野　韓国系の人までが怒るくらいの内容だったということですか。

モーガン　韓国系であっても、ずっとアメリカで育ってきているので、メンタリティは完全にアメリカ人なのです。アメリカ人として生きてきたのに、なぜ韓国人のメンタリティを押しつけられなければいけないのか、という気持ちだったと思います。あと、レクチャーは明らかに英語教育と無関係で、時間の無駄ということも当然、感じていたと想像できます。

イギリス人やアイルランド人、オーストラリア人もいましたけど、みんなが、「何だ？　授業の部屋を間違えたか？」という感じでした。それくらい酷かった。

編集部　そういうプロパガンダ的な授業があったことで、韓国に住むのが嫌になったのですか。

モーガン　それだけでは、ありません。同じようなことを、何度も経験しました。

たとえば、英語教師として働くようになってから、職場での友だちもできて、ピクニックに行ったことがあります。そのときは、ある程度韓国語もわかるようになっていて、話せました。たまたま私たちのグループの横に座ったおばさんが、「あそこに建物が見える」と私に話しかけてきました。そして、「あそこはね、日本人が朝鮮人を奴隷として働かせていた鉱山の建物なのよ」と説明を始めます。こちらは、「あー、そうですか」と返事します。そうしたら、「だから日本は悪い」という話が延々と続いて止まらない。せっかくのピクニックなのに、プロパガンダ・セッションになってしまう。そういうことをたくさん経験しました。

編集部　それで、韓国には住みたくないと思ったわけですね。

モーガン　ニューオリンズもフランスやイギリスの植民地だった歴史があります。かといって、いまだにフランスやイギリスの悪口を言いつづける慣習は、ニューオリンズにはありません。カメルーンもフランスに植民地にされていたわけですが、いまだに韓国が日本を敵視するような、フランスを嫌うような状況はありますか。

星野　歴史的な遺恨というのは、カメルーンの若い人でも消えていないと思います。カメルーンの通貨はＣＦＡ（セーファー）フランといって、ユーロ導入までフランスの法定通貨だったフランに繋がっています。

二〇一六年ごろに従兄弟たちと話したとき、「いまでもＣＦＡフランはフランスで刷られている。自分たちのおカネをフランスがコントロールしている」と不満げでした。紙幣は偽造とかの問題で高度な技術が必要なのでフランスで刷るしかなかったのかもしれませんが、その真偽は別にしても、ＣＦＡフランが遺恨の対象になっていたのはたしかです。

モーガン　そういう感情は、なかなか消えません。韓国の日本に対する感情も理解はできますが、度がすぎると拒否反応が起きてしまいます。

星野　ＣＦＡフランについては、フランスの植民地支配の象徴みたいなところがあるので、好意的でないのも無理はないと思います。しかし、なんでもかんでもフランスを悪く言うようなカメルーン人に会ったことはありません。

それよりカメルーンでは、民族・部族間の内輪揉めのほうが多いみたいです。「隣の部族は昔からけしからん」といった話のほうが多い。

日本も、アメリカとの戦争に負けて、いまだに影響下にあると言われているのに、あまりアメリカを悪く言いません。それよりも、距離的には近い韓国や中国を悪く言う人が、一般的にも多いような気がします。

編集部　それは、ありますね。アメリカよりも韓国や中国に厳しい目を向ける傾向が、圧倒的に強いのはたしかです。

星野　カメルーンにはフランス語のエリアと英語のエリアがあります。フランス語圏が七〇パーセントくらい占めているかな。そして、フランスに対してよりも、そのふたつのエリアの摩擦のほうが大きいと思います。

モーガン　韓国は日本に対する嫌悪感が強すぎます。それにはどうしても馴染めませんでした。そして、私は日本に住むようになるわけです。

第一章

日本と世界の現状

●英語と日本人

星野　ずっと、アフリカの出身を自慢できない状態でした。ただカメルーンは公用語がフランス語なのでフランス語は話せます。フランス語を口にしたときだけは、「スゲー！」と言われる。でも、それはヨーロッパ的なものを評価されるのであって、アフリカ的なものを褒められているわけではありません。フランス語を話せるのはアフリカ生まれ故(ゆえ)ではないので、褒められても素直に喜べない、複雑な心境でした。ただフランス語を話せると、女性にモテる確率は上がるので、それだけは良かった（笑）

編集部　フランス語は基本的に日本の学校の授業では扱わないので、それで成績が上がるわけでもないので得にはなりませんね。

星野　フランス語のベースがあるから英語なんか簡単に話せるようになるだろうと、よく日本人からは勘違いされます。フランス語と英語はぜんぜん違います。

編集部　以前、取材でフランスに行って建築家の自宅を訪ねたとき、大学生の息子さんがいたのですが、まったく英語がわからない。フランス人も英語を話せると思い込んでいたので、とても驚いた記憶があります。

星野　フランス人、英語を話せない人が多いですね。

モーガン　私はアメリカ人で、もちろん英語を話しますが、じつは英語がオールマイティであるという感覚は日本に来て初めて持ちました。

　私が育ったニューオリンズはフランスの植民地だったので、いまだにフランス語を話す人たちがたくさんいます。

編集部　そういえば、アメリカのテキサス州にはパリス（Paris）という街がありますよね。ヴィム・ヴェンダース監督が『パリ，テキサス』という映画も撮っています。

モーガン　あります。カリフォルニア州にはヴェニスという街もあります。イタリアのヴェネチアを模して造ったと言われていますが、まったく似ていません。

　パリスも同じです。曾祖父がパリスに住んでいたので、私が大人になってから、一度だけひとりで、どんな街なのか見に行ったことがあります。フランスのパリのようなところかと思ったら、とんでもない。パリどころか、ただの村でした（笑）

　話を戻すと、ニューオリンズは、とりわけ街の中心からちょっと離れている湿地帯では、フランス語が普通に使われていました。住んでいる人は、英語は大したものではない、という感覚を持っています。ニューオリンズの英語、それから、次に住んだテネシー州の英語もそうですが、訛っていますし、きちんとした英語ではないと強く意識しています。だからなのか、私の英語はきれいではない。じつは間違いだらけの英語を使っています。
だから、英語がオールマイティという感覚がなかった。ところが日本に来て、初めて英語がパワーを持っていることを知りました。

編集部　日本人には、英語圏で生まれ育って英語を普通に話すネイティヴを羨ましいと思う気持ちがあります。

モーガン　その「英語圏」ということが私にはよくわかりません。ひとくくりに英語圏と言いますが、たとえばオーストラリア人が話す英語は、私にとっては「はぁ？」という感じです。とても英語には思えません。

編集部　違うのですね。日本人は英語はひとつだと思っているようなところがあるけれど、ほんとうは違う。

モーガン　英語と言えば、このあいだ星野さんと一緒に帰宅する電車内で、面白いことがありました。星野さんと私は日本語で会話していたのですが、そこに中年の日本人男性が割り込んできて、星野さんに英語で話しかけてきました。
それに星野さんは日本語で答えたのですが、それでも無理矢理、頑張って英語で話しかけてくる。

編集部　その中年男性は、英語が話せるのを誇示したかったのではないでしょうか。もしくは英語を話すチャンスと捉えて、英語力を試してみたいと思ったのかもしれません。

星野　その男性がどうだったのかは知りませんが、自分の英語力を試したくて話しかけてくる日本人はいます。そういう人は、もう腕を回しながら来るような勢いです（笑）

話しかけやすい、人の良さそうな外国人を狙ってくるのかもしれません。僕が日本語で答えると、「チャレンジしたかったのに」とガッカリして行ってしまいます。勝手にチャレンジされても、こちらとしては迷惑です。

編集部　そうやって英語で話しかけてくる日本人は、やたらに声が大きくないですか。自分は英語が話せるとまわりに誇示しているように、ムダに大声になっている。それは、英語に対するコンプレックスの裏返しのような気もします。

星野　日本人の英語コンプレックスは、凄く強いと感じます。僕は日本で育って日本の学校で英語を習ったので、日本人と同じように英語を使えなくて、同じようにコンプレックスを持っていました。

編集部　その星野さんは、いまでは英語を普通に話せるわけですよね。そのきっかけは何だったのですか。英語を話せるコツも教えてください。

星野　観光に来ていた、きれいな金髪の女性ふたりに話しかけられたことがあったのです。道を訊きたかったのだと思いますが、そのころは日本の学校で習っただけの英語力しかなくて、何を訊かれているのか、さっぱりわからない。あげくには、「Oh my god!」と言われてしまいました。

英語を話せないだけで「Oh my god!」と言われてしまって、僕のコンプレックスに最大の火が点きました（笑）。そこから学校英語ではない英語の勉強を始めました。きれいな女性だったので、英語を話せたら、多少は楽しい時間を過ごせたのに、という悔いもありました（笑）

日本の学校では、発音をきちんと教えません。あれが、一番の問題だと思っています。いっぱい単語は知っているのに発音やイントネーションが違うから、まったく通じない。それに、品詞の理解が重視されていません。

発音と品詞、これが日本の英語教育最大の欠陥だと思います。そこを意識的に勉強したことで、僕はいまや英語で不自由をすることはありません。

編集部　コンプレックスに火が点いたことが、使える英語を勉強しはじめるきっかけだったというのは、とても興味深い。

星野　そのときの女性ふたりは、たぶんアメリカ人だったと思います。アメリカ人というのは、どこの国の人であれ、みんなが英語を話せて当然みたいな感覚を持っていますよね。英語だけが世界の言語みたいに思っている。だから英語が話せない相手には、「なんでできないんだ」みたいな態度で、「Oh my god!」になるわけです。

モーガン　そうです。英語以外の言葉は存在しないかのような、ほかの言葉は「飾り」にすぎない、という感覚かもしれません。

およそ一〇年前に起きた「歴史戦」ですが、とくにアメリカ人の学者は日本語の資料を読まずに日本の歴史を決めつけています。私が、「こういう日本語の資料があるよ」と言っても、「それは陰謀論だ」とか、「おまえは極右だ、ファシストだ」と批難されます。

日本語の資料を読まない学者が、日本語の資料に基づいて主張している日本人学者に対して、「おまえたちは自分たちの歴史をわかっていない」と決めつける。ちょっと、あり得ないことです。英語だけが絶対だと思っている発想でしかありません。

編集部　言葉の問題もありますが、国としてのスタンスの問題もある気がします。

モーガン　アメリカは完全に上から目線で日本を見ています。政治的な立場から見下しているのです。

星野　学者というのは、基本的に科学的であるべきだと僕は思います。英語の資料も日本語の資料も読めるほうが真実に近づけるはずなのに、日本語のデータはないものとして論を進めれば情報の質は下がるし、科学的ではありません。

モーガン　それはたしかです。科学的ではなく、政治的に判断しようとする傾向があります。物事を政治的な立場だけで判断していると、真実が見えなくなるし、分断しか生まれません。「こっちは正しいから、それと違うおまえはファシストだ」となるわけです。

編集部　議論が噛み合わなくなりますよね。話を戻すと（笑）、日本人にも「アメリカ絶対」のような感覚があると思います。だから、英語を話せないことに強いコンプレックスを持っている。外国人を見ると「英語を話す人」と思ってしまうところがあって、さっきの電車のなかで英語で話しかけられた話でも、「外国人だから英語を話す」とか「アフリカ系のアメリカ人だ」という発想になってしまうところがあるかもしれません。

星野　子供のころも、「外国人だ〜」と言われた回数より「アメリカ人だ〜」と言われた回数のほうが圧倒的に多かったです。日本の子供にとって、外国と言えばアメリカくらいしかなかったのかもしれません。中国がかろうじてわかるくらいで、ヨーロッパとなるとすぐに浮かんでこない。ましてやアフリカとなると……。

編集部　それくらい日本人のなかではアメリカが「絶対」になっていると言えます。そうさせられた、と言ったほうがいいのかもしれません。

●日本とカメルーンの違い

編集部　カメルーンで、日本は知られているのでしょうか。

星野　一般のカメルーン人が日本のことをどれぐらいのところまで知っているのか、わかりません。父を知っている人たちは、とりあえず「オシノ」は日本から来たことは知っています。中国人はフランス語で「シノワ」と言うのですが、「シノワ」と「ジャポネ」が違うこと、国名になると「ジャポン」になりますが、「ジャポン」が僕の故郷だということは知られています。カメルーン全体だと、ちょっと、わかりません。

編集部　カメルーンの学校では、たとえば地理の時間とかに、日本という国があって、それは地図ではこのあたりだ、とか教えないのでしょうか。

星野　僕はカメルーンの学校にあまり通っていないのでわかりませんが、世界地図は普通に教えると思います。ただ、細かく教えるのかまでは知りません。日本でも世界地図は教えるけれど、カメルーンについては教えないじゃないですか。

さすがに日本はG7やG20に入るような国だから、アジアにたくさんあるほかの国と同じような扱いではない気がしますが、カメルーンの親戚に訊いてみたいな。

編集部　カメルーンに帰って、日本に住んでいたと言うと、友だちとかに日本について尋ねられたりしますか。

星野　めちゃくちゃ訊かれますね。子供でも、めちゃくちゃ訊いてきます。フランス語では自動車のことを「voiture」と言うけど日本語では何と言うの、とかね。僕が「クルマ」って答えると大爆笑になりました（笑）。「クルマ」という語感が、現地の子供たちにとっては面白く聞こえる音だったみたいです。

信号のことも訊かれましたね。向こうの田舎のほうは信号なんてありません。色が付いた灯りを出していて、赤だったら止まらなければいけない、青だったら進んでいい、と説明しました。すると、「なぜ灯りに命令されるの？」という反応でした。

編集部　「命令される」というのは新鮮な発想ですね。日本人は「命令されている」とは受け取っていないと思います。

星野　「日本はクルマがいっぱい走っているから、灯りでコントロールしないとぶつかってしまう」と説明すると、「そんなのコミュニケーションでできないの？」と訊いてくるから、「大変で、とてもできない」と言うしかない。

自動販売機にも興味を持たれましたね。ジュースを入れた箱が道路の脇に置いてあって、おカネを入れてボタンを押したら出てくる、というのが僕の説明。それに、「ずっとジュースが入っているの?」と質問する子がいたから、「入っている」と答える。すると「盗られないの?」という質問が続くから、「盗られないよ」と答える。さらに、「でも、悪い人がいるでしょう?」と訊いてくる。それに、「そこまでわからないけど、盗られないよ」と答えるしかない。それで、「そうなんだ」と納得してくれる。

編集部 訪日してから最初にカメルーンに帰ったのが小学一年生のときで、次に帰ったのはいつごろですか。

星野 小学五年生のときです。一年生のときより少しは理解力が高くなっていたはずですけど、基本的にカメルーンに対する印象は変わりませんでした。子供のころは楽しいことばかりでした。

モーガン 日本からカメルーンに行って、カルチャーショックのようなものは感じませんでしたか。

星野 大変だったのは食べ物くらいでした。日本では食べないようなものが、カメルーンでは普通に出てくるので驚きました。

小学校一年のときに帰った初日にセンザンコウが出てきたときには、ビックリです。全身が鱗(うろこ)で覆われているので爬虫類(はちゅうるい)かと思ってしまうけど、哺乳類(ほにゅうるい)です。これ食べるのかー、って正直、思いました。

あとは、カエルですね。

編集部 カエルなら、ポピュラーではないけれど日本でも食べます。中華料理やフランス料理にもあったりしますね。

星野 父も日本で食べたことがあると話していました。ただカメルーンで食べるカエルは「ゴライアスガエル」という名前で、手足を伸ばすと八〇センチくらいもある大きいヤツです。それを親戚のおじが、ぶら下げてやってくる。

食べるときはスープにするのですが、味は鶏肉と変わらない。普通に美味しい。

編集部 日本で食べるのは「ウシガエル」ですね。もともと日本には生息していなくて、食用にアメリカ、ルイジアナ州から輸入したのが最初だという説もあるようです。

モーガン カエルは食べます。ルイジアナでは、とにかく変な物を食べますけど、母親が作ってくれるから大丈夫だろう、と思って食べていました。ワニの尻尾とかも食べるし、ザリガニも普通に食べます。

同じアメリカでも北部の人は、ザリガニのことを虫だと思っているみたいです。「虫を食ってる」と北部の人がルイジアナの人をいじめると聞いたことがあります。

編集部　北部の人はザリガニを食べないのですか。

モーガン　食べないはずです。ルイジアナの人間からしたら、ザリガニを食べない北部は外国です（笑）

星野　カメルーンで衝撃的だったのは、なんといっても鶏を絞めることでした。僕と同じ小学生の子が、普通に鶏の頭を刃物でパーンって刎ねるのです。あんなこと、日本で育った僕にはできない。

それをカメルーンの子は普通にやっていて、羽根とかも自分で処理して食べている。とにかく、逞しい。

カメルーンの子は遊びかたがワイルドです。ビルの二階以上も高さがあるようなミカンの木があって、子供がみんな平気で登るんです。そこで、僕も試されたことがあります。「日本で育ってる軟弱者のおまえに登れるか」ってけしかけられて、チクショーと思って登りました。小学五年生のときでした。

編集部　鶏の頭は刎ねられるようになったのですか。

星野　それだけは、いまでもダメです（笑）。でも、カメルーンの子たちと遊びまわって日本に帰ってきたら、「おまえ、わんぱくになったな」って日本の友だちに言われました。カメルーンの子と同じように遊んでいて、パワフルになれたのだと思います。

編集部　それだけ日本とカメルーンでは、子供たちの遊びかたが違うということになります。

星野　もうひとつ、カメルーンに帰ってみて驚きだったのは、友だちが必要ないということでした。日本だと、友だちをつくることが子供にとっての至上命題みたいになっているじゃないですか。

だけどカメルーンに帰ってみると、親戚がまわりにたくさんいて、親戚の子供だけでも三〇人くらいいるので、友だちをつくるという発想にならない。親戚同士だから、イジメもありません。

日本ではイジメが大きな問題になっていますが、他人同士の子供ばかりが集まっているからではないでしょうか。赤の他人ばかりだから疎外される子ができて、苛烈なイジメを受けてしまう。

カメルーンでは親戚が大勢いて、家族だから、イジメなんてありません。

モーガン　面白いですね。

星野　結束するために、アメリカなら星条旗という存在があるけれど、親戚なら家族が星条旗のようなものです。赤の他人ばかりが集まっているところで結束するには、何か星条旗のようなものが必要なのかもしれません。

日本の学校で経験したのが、文化祭とか運動会のときにはイジメがなくなることです。小学校でも中学校でも、文化祭や運動会の時期だけ、イジメが減ります。

それは、文化祭や運動会という特別な星条旗ができるからではないでしょうか。イジメられていた子もイジメていた子も同じ作業を仲良くやって、それが終わると、またイジメられるのとイジメる関係に戻る。

僕がイジメの対象にされなかったのは、絵を描く五人か六人の仲良しグループと、幼稚園・保育園の友だちとで、一〇人くらいの仲の良い友だちがいたからではないでしょうか。共有できる何かを持っている友だちがいました。一〇人くらいの友だちがいるとイジメられない。イジメられる子というのは、何かを共有できる友だちがいない子だったような気がします。

●マイノリティとして生きる

星野　小学校も中学校も、最初は目立っていましたが、しばらくしたら慣れてきて、日本人と同じように暮らせるようになりました。

そうしたなかで、中学生になると、恋愛をするようになります。そこで日本人との隔たりを強く感じさせられるようになりました。

僕が中学生のころにも、女の子に人気があるのはジャニーズ系とかビジュアル系の音楽グループのメンバーでした。肌が白くて髪はサラサラという男の子です。

そういう男の子を好きになる日本の女の子にとって、肌は黒くて髪もサラサラではない自分は異物、異質なものではないかと強く思っていました。自分は恋愛の対象外であって、日本社会では自分に恋愛は関係のないものだと。

モーガン　なるほどね。そういうのは、やはり、ありますよね。

星野　ところが、自分を好きになってくれる女の子がいたんです。肌も髪質も日本人とは違うのに、好きになってくれる女の子がいた。この経験はあまり話したことはないのですが、僕にとっては宇宙が始まる大爆発、ビッグバンくらいの衝撃でした。かなりの自信に繋がりました。

モーガン　まわりと違うことで好きになってもらえないという思いは、小さいころからあったのですか。

星野　小学生のときにも「好き」と言ってくれる女の子はいましたけど、それは恋愛的なものではないと思っていました。中学生になるとまわりでは恋愛をガンガンしていたけれど、自分には関係のない世界でした。ほんとうは悩んでいたけれど、カッコつけて友だちには相談できない。

そういうときに、恋愛感情として、僕を好きと言ってくれた女の子がいたことの意味は大きかったと思います。

日本とカメルーンの違いと言えば、高校の入学式での母の服装もショックでしたね。

モーガン　そのエピソードは、星野さんの著書『アフリカ少年が日本で育った結果』でも描かれてあって、印象に残っています。

星野　入学式に、全身、ハデハデの民族衣装に身を包んだ母が現れたのです。もちろん、日本人には馴染みのない、ほとんどの日本人は初めて目にしただろう衣装です。あれは、恥ずかしかった。

母にしてみれば、親が子供のために粧(めか)し込んで参加するのは当然という気持ちだし、カメルーン育ちの母としては最高の衣装だったわけです。とにかく、目立ちました。その目立つのが、僕としては嫌でした。マイノリティとして日本で暮らしている僕にとっては、目立つことが揶揄されることに繋がります。

そのマイノリティとしての僕の気持ちが、母にも父にも理解してもらえませんでした。母はカメルーンでマジョリティとして生きてきたし、父も日本で典型的な日本人として生きてきたので、マイノリティとして生きる気持ちが理解できなかったのだと思います。

もちろん心配はするけれども、子供がなんで悩んでいるかがわかっていない。目立つ存在だから揶揄されることもあって大変だろうな、までは想像できていると思います。

しかし、実際に住んでいるところと自分のアイデンティティとが一致していない、子供の地獄のような苦しみは、理解できていない。アイデンティティが定まらないというか、永遠に続くような不安です。それが理解できるのは同じミックスルーツを持っている者だけだと思うのですが、僕と同じようなミックスルーツを持つ子は学校にはいませんでした。弟妹は同じ境遇ですけど、そういう苦しみを話すのは照れてしまって、できない。

編集部　なるほど。親も理解できないかもしれませんが、日本人として生まれ日本で暮らしている私たちには、もっとイメージできないものですね。

星野　親よりも、同じ境遇にある友だちが近くにいて同じ悩みを話し合える環境が必要だった気がします。いまはインターネットもあるので、簡単に知り合って、悩みを語り合うことができます。しかし、僕が子供のころは、そういう環境がありませんでした。

モーガン　難しいと思いますが、どういう気持ちなのか、もう少し詳しく教えてもらえますか。

星野　日本という社会のなかで自分のアイデンティティだけが宙ぶらりんになっている、とでも言えばわかってもらえるでしょうか。一応は繫がっているのだけれど、ちゃんと接地させてはもらえない。ちょっとしたことで繫がっているところは切られて、宇宙に永遠に飛ばされてしまいかねない不安です。

　カメルーンと日本がワイヤーで繫がっていて、そのワイヤーの中間に僕が宙ぶらりんになって浮かんでいるような感覚です。

モーガン　少しわかるような気がします。

星野　だいぶあとになってから、このワイヤーを辿って、カメルーンに行ったり日本に行ったりできる、と思えるようになりました。

　父は子供を日本社会のなかで生きていけるように育てようと思っていて、凄く「勉強しろ」と言っていました。親として責任があるし、気合いが入っていたのだと思います。

でも僕にしてみたら、最初から日本人として認めてもらえていないのに、勉強しても問題は解決するはずがないと思い込んでいる。何もわからないくせに、うるさく言うな、という気持ちだけです。

モーガン　親よりも、自分の置かれている立場を正しく認識できていたわけですね。

星野　そうです。だから、勉強して良い大学に行って、良い会社に行くっていうのは、日本という大地に足をつけている人たちの発想でしかない、という気持ちが強かった。宙ぶらりんの自分には、そういう発想が持てないわけです。

それを親も理解できないから、ずっとすれ違いでした。子供のころから、不良とまではいかないけど、社会に興味がないというか、自分とは無関係なものというイメージしか持てずに暮らしていました。

編集部　日本に暮らしているのだから、日本に馴染もうとか、日本人らしくなろうとかは考えませんでしたか。

星野　それは無理があるかな。日本人になろうとしても、肌の色とか髪とか、見た目が日本人とは違います。日本人の血が入っていないのだから、どう足掻（あが）いても日本人にはなれません。

ただ日本の歴史は好きで、子供のころから図書館で徳川家光とかの本を読んでいました。日本の文化も好きだし、日本の田園風景も好きです。それでも、そこに自分が帰属しているとは思えなかったのです。

モーガン　日本に住んでいて、日本のことが好きでも、この社会と自分が完全に繋がっているとは思えなかったわけですね。それは、カメルーンについても同じですか。

星野　日本でもカメルーンでも同じで、自分が帰属しているとは思えませんでした。カメルーンに帰れば、見た目では同じような子ばかりで、自分だけが目立つことはないので溶け込めるかな、と考えたこともありました。

しかし実際は、日本以上に隔たりを感じてしまいます。内面が違いすぎるというか、育ったバックグラウンドが違うので違和感を持ってしまう。言葉も日本語のほうが得意になっていきますから、そこからして違います。

編集部　その宙ぶらりん状態は、いまは、どうなのですか。まだ、宙ぶらりんのままなのですか。それとも、その状態を克服できたのでしょうか。

星野　いまも宙ぶらりんだという感覚はあります。しかし子供のころと違って、自分の意思で大地に立てるという感覚もあります。どうしても大地には立てないと思っていたけれども、いまは宙ぶらりんで漂っていて、日本の大地に立とうと思ったら立てるし、カメルーンの大地に立ちたいと思えば、泳いでいってそこに立てる。観察するために、あえて宙ぶらりんの状態でいることを選択することもできます。ある意味、超人的なパワーを持っているという自覚さえあります。

編集部　その心境に達するまでは大変だったと思いますが、どういうことをやってきたのですか。

星野　ちょっとコツを掴みはじめたのは、中学生のころだったと思います。僕は関西出身で、関西は「目立ってナンボ」というか「オモロイのが正義」みたいな文化です。オモロイためには、意外性が大事なのです。みんなが予想もしなかった話のオチを持ってくるからオモロイ、となる。

カメルーンでの体験談は意外性があるので、ウケる。「コイツ、オモロイな」ということになって、仲間の中心になれるのです。帰属できていないけれど、カメルーンとの繋がりがありながら日本に住んでいるから笑いをとれるわけです。それって、「強みかな」と気づきだしたのが中学生のときでした。

編集部　同じような強みを、カメルーンでも発揮できたということでしょうか。

星野　小学生のとき、カメルーンに帰っていたころは日本の景気が良くて「ジャパン・アズ・

ナンバーワン」と言われていました。日本は凄い国だという認識はカメルーンでもありました。中国も知っているけれど、日本のほうが経済的に豊かだという認識でした。日本人だとわかった瞬間に、「あっ、日本人なんだ」と尊敬してくれます。

僕も日本から来たというので、「ジャポネ」って呼ばれていました。お金持ちの坊ちゃんみたいに扱ってくれるのです。小学校でもクルマのある家庭は稀で、僕の父がクルマで迎えに来ると、女の子はうっとりした目で見ている。クルマもあるし飛行機にも乗れる、日本という豊かな国に居場所がある、もう富裕層キャラでした。だから、日本に繋がっていて良かったなという気分はありました。カメルーン人だけど、日本と繋がっているから得したな、みたいな気持ちです。

編集部　そういうなかでも、日本かカメルーンか、どちらかに帰属したいと思う気持ちはなかったのですか。

ただ、日本に帰ってくると、富裕層ではなくて、一般人に戻ってしまうんですけどね（笑）

星野　小学校低学年の日本に住んでいるころは、日本に帰属したかったのかもしれません。日本に住みつづけていたら、肌も髪も日本人みたいになるかもしれない、と本気で思っていました。もう、毎日のように肌の色をチェックして、「まだ変わらないな」とか思っていました。

いまだったら笑い話ですが、本気でした。

そんな感じで日本に帰属したいと思っていた時期もありましたが、次第に、そうは思わなくなりました。といっても、はっきり自覚したのは社会人になってからかもしれません。

日本とカメルーンの両方にアイデンティティを持っているひとりの人間として、カメルーンと日本を行き来することでしか自分は成り立たない、と思っています。どっちかにしかいなければいけないなら、それは自分ではなくなる。日本とカメルーンを行き来しながら、日本のことをカメルーンに伝えるし、カメルーンのことを日本に伝える、それが自分にとってベストな生きかただと考えるようになりました。

難しいと
思いますが
どういう気持ち
なのか
もう少し詳しく
教えてもらえ
ますか

日本という
社会のなかで
自分の
アイデンティティ
だけが宙ぶらりんに
なっている
とでも
言えば
わかって
もらえるでしょうか

一応は
繋がって
いるのだけれど
ちゃんと
接地させては
もらえない

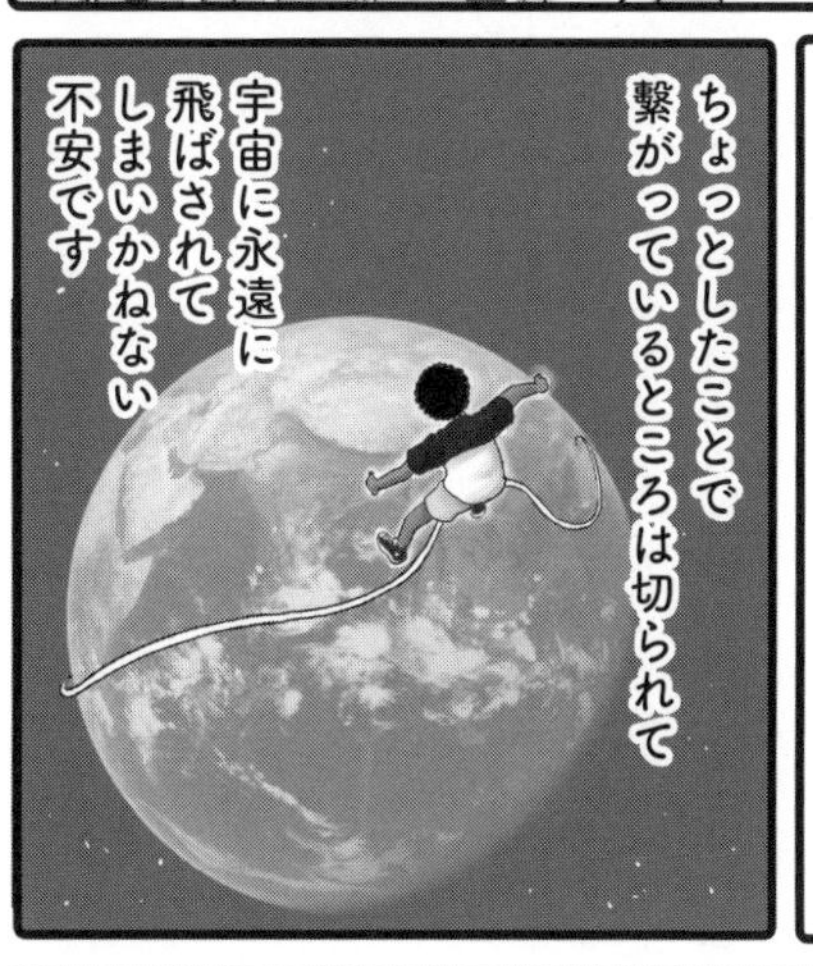
ちょっとしたことで
繋がっているところは切られて
宇宙に永遠に
飛ばされて
しまいかねない
不安です

少しわかるような
気がします
だいぶあとになってから
この
ワイヤーを
辿って
カメルーンに
行ったり
日本に
行ったりできる
と思えるように
なりました

●新型コロナと日本

編集部　新型コロナウイルス感染症が流行したときに、おふたりとも日本にいて、新型コロナを通して日本という国をどう見ていましたか。

モーガン　あの新型コロナ禍のときに日本にいて良かった、というのが正直な感想です。フランスとかオーストラリアで政府が武装した警察官を派遣してワクチン接種を拒否している人を取り締まるとか、マスクを拒否する人を逮捕するとかのニュースを見ていて、恐ろしいと思いました。日本では、そんなことはありませんでした。

編集部　そこまで日本ができなかったのは、取り締まる法律がなかったからだと思います。

モーガン　法律がなかったことは幸いです。私はワクチンを打ちませんでしたが、マスクは慣れて着けるようになりました。

マスクを着けたのは、初めての経験でした。アメリカでは医者でなければマスクは着用しないし、マスクをしていたら「お医者さんごっこですか？」と言われてしまいます（笑）

編集部　日本人はサングラスをしている人を嫌う傾向があります。その人が何を考えているか目の表情で推測するからで、サングラスを掛けている人とはコミュニケーションがとりづらい。

アメリカやヨーロッパの人は、口元で何を考えているか感じると聞いたことがありますが、ほんとうですか。

モーガン はい、コミュニケーションをとるとき、口元を見ています。だから、マスクをされると、すごく困ります。サングラスは、ぜんぜん平気です。

星野 それって、僕も漫画にしたことがあります。けっこう、いろいろな反応がありましたね。

僕は、マスクには抵抗感がありました。日本では法律的に強制はされなくても、政府がマスク着用を推奨すると、みんなすぐ従うし、従わなくてはいけないような雰囲気になりました。

カメルーンはアメリカ的な意味ではないですが、「マスク＝重病人」という感覚があって、マスクをしている人を見ると不吉な感覚になってしまう。日本の幽霊は頭に三角の布（天冠(てんかん)）を付けていますけど、カメルーン人からしたら、マスクはあれと同じ感覚です。だから、マスクは嫌われましたね。母はギリギリまでマスクを着けなかったし、着けなければ絶対に入れない施設に入るときだけマスクをしていました。

日本人は「マスクしていたら偉い」となって、新型コロナ禍のときは「マスクは、ちゃんとしている人の証」みたいな感覚があったと思います。まるでネクタイみたいなものだと感じていました。

モーガン　日本での滞在が長くなってしまったからなのか、マスクを着けていないと罪悪感のようなものを覚えるようになっていました。だから、新型コロナ禍のときにはマスクを着けていました。マスクが科学的に新型コロナの予防に効果的かどうかわかっていないにもかかわらず、マスクを着けていました。日本的でした。

まわりからのプレッシャーもあったからかもしれません。みんながやっているから自分もやったほうがいい、という感じでした。こういう外国人の顔を持っていると、マスクをしていないと、かなり白い目で見られてしまうという不安もありました。

編集部　電車に乗っていて、マスクを着けない外国人が乗ってくると、「外国人だから仕方ない」という目で日本人の多くは見ていたと思います。

モーガン　旅行者なら、そう見られてもいいのかもしれません。しかし私は、「外国人旅行者とは違うよ」という気持ちがありました。だから日本人が着けるというなら素直に着ける、そう思っていました。

編集部　日本での生活が長くて、まわりに合わせるという日本人的なところを受け入れるようになっているのかもしれません。

モーガン　ただ新型コロナ禍の前と後の日本を見て気になっているのは、自分だけ守れればいいという雰囲気が強まっていることです。マスクにしても、以前は自分の病気を他人に感染させて迷惑をかけないためのものだったはずなのに、新型コロナ禍のときから自分の身を守るためだけになっています。新型コロナ禍で、アメリカ的な「me-first（自己優先）」の感覚が強まっているような気がします。

星野　「おまえはマスクをする人なのか、しない人なのか」といった具合に、マスクが人を判断する基準にされたように感じました。マスク云々ではなくて、人を区別する意識が強まったのではないでしょうか。

日本人は政治的な議論を避けがちですが、そういう議論をしないで、人を単純に区別する意識だけが強くなったような気がします。同じ日本人なんだけど、マスク派と非マスク派とに分断することを優先しているように見えます。

モーガン　ワクチンについても同じですね。ワクチンを打つ人と打たない人では、もう政治的に対立しているような気分になっている。

星野　宗教戦争みたいなもので、どこに真実があるかは関係ない。ワクチンに効果があるかどうかプロでもわからないはずなのに、素人が一方を激しく攻撃する。もうワクチン派か反ワクチン派か、どっちにつくのかという話になっていて、どの宗教を信じるのかという宗教戦争みたいでした。

編集部　政府が新型コロナの五類感染症移行を発表すると、一気にマスクを着ける人が減ってしまいました。

星野　科学的ではない。新型コロナは、そもそも宗教じみていました。宗教には良い面もあるけれど、どっちを信じるかを強制する悪い面が、まったく同じでした。日本でのコロナの議論は科学的ではないとわかってしまったと思います。

編集部　先ほどモーガンさんは、新型コロナでアメリカ的な「me-first」が日本で強まったと言われましたけど、アメリカでは新型コロナで「me-first」はさらに強まったのでしょうか。

モーガン　アメリカにいなかったので、よくわかりません。ただアメリカ人には「政府が言っていることは信用しない」という根深い感覚があります。それが強まったことはたしかだと思います。

とにかく政府は嘘ばかりついているので、新型コロナについてもワシントン（アメリカ連邦政府）が「こうしろ」と言っても、「従いません」となります。その傾向が、新型コロナで強まった気がします。

とくに私たち南部の人間からすれば、ワシントンは私たちの政府ではなくて、「占領軍」みたいなものです。占領軍は嘘によって占領地を支配しようとするわけで、占領軍の嘘には敏感なところがあります。

編集部　日本人も占領軍のような政府の嘘によってコントロールされていると、モーガンさんには映りますか。

モーガン　新型コロナのワクチンをめぐる動きを見ていると、目が覚めている日本人が増えてきている気がします。政府が言っていることを鵜呑みにしないで、自分の頭で考えてみる人が増えているのではないでしょうか。政府の言いなりにならないところは、アメリカ人に近くなっているようです。参議院の神谷宗幣議員はワクチンの危険性を問題視する発言で、陰謀論者と言われていますが、彼は陰謀論者ではなく、自分の頭で考えて、自分なりにデータを収集して、それに基づいて発言しています。そういう人が、日本でも増えているのではないでしょうか。

●新型コロナでカメルーンは変わったか

編集部　カメルーンはどうなのでしょうか。新型コロナ禍の前と後とでは変化があったのでしょうか。

星野　新型コロナ禍のときにカメルーンに住んでいたわけではないので、実際のところは体験していません。ただ知り合いなどから聞くと、やはり最初はマスクに対する抵抗感が強かったようです。

カメルーンでも政府の言うことを信じない人がいますが、その理由は、アメリカとはちょっと違っています。カメルーンの場合、まず中央政府の情報が伝わりにくい。僕の親戚がいる地元は田舎で、カメルーンの多くの地域が田舎です。ほんとうに小さな村がポツポツとあるような田舎です。そういうところなので、中央政府の情報が届かない地域も多くあります。

そうなると、新型コロナという感染症が流行っているということは、日本やアメリカでいうところの情報ではなく、噂レベルでしか伝わってきません。「新型コロナっていう病気があるらしいよ」と、もう迷信を語るような感じです。

田舎だと、人の移動も多くないし、密にもなりません。だから、感染する人がいない。まわりに感染者がひとりもいない状況だから、あまり騒がれないのだと思います。

編集部　それは、カメルーンの都市部でも同じなのでしょうか。

星野　都市部だと、「マスクを着けろよ」と言っている人はいたと聞いています。新型コロナは中国が発生源だと言われていたので、中国からカメルーンに入ってくる人には規制を厳しくしているといった情報が、ＳＮＳでは流れていました。
田舎と都市部では、凄い差があります。都市部から田舎に行くと、まるでタイムマシーンに乗ってきたのかと思うほど違います。逆も、同じです。森のなかで暮らしている部族にしてみれば、新型コロナの話を聞いたとしても、「また文明化された連中が何かで騒いでいる」くらいの感覚ではないでしょうか。自分たちには関係のない話です。

編集部　そういう部族の人たちは、文明に対する憧れみたいなものは持っていないのでしょうか。

星野　あると思います。あるけれども、「憧れても仕方ない」という気持ちも強い。
たとえば日本でも、旧財閥系の家柄で、凄いお金持ちの人たちがいるじゃないですか。そういう人たちに、僕ら一般人が憧れてみても仕方ない。憧れてみても、旧財閥系出身のお金持ちにはなれない。憧れてみたところで意味がない。それと同じ感覚ではないでしょうか。

編集部　そういう感覚の人たちからすれば、自分たちのまわりに感染者もいない新型コロナの騒ぎなど、まさに他人事（ひとごと）でしかないわけですね。

星野　もう、生活の基盤が違いすぎます。森でずっと暮らしている人たちは、学校にも行ったことがないし、文字も知らない。都会で暮らしている親戚もいない。そんな人たちは、都会で暮らせるわけがないと思うのが必然です。

モーガン　二〇二三年の七月に、西アフリカのニジェールでクーデターが起きましたが、あのニュースを見ていて、私は「万歳！」と心のなかで叫んでいました。旧宗主国であるフランスをはじめとする欧米に近い政権を、軍が転覆したわけです。

編集部　ニジェールという国はニジェール人が統治していることになっているけれど、その政権を旧宗主国のフランスが操っていた。

モーガン　クーデターを支持する一般の人たちが道路に出て、「フランスは出ていけ」と叫んでいる映像がニュースで流れていました。カッコいい、と私は思いました。

植民地的な支配に多くの人が不満を持っていたわけで、そうした不満を持つのは、植民地的な扱いを受けているという情報が浸透していたからではないでしょうか。あのニジェールのクーデターから、アフリカでも情報格差は縮まっているのではないかと考えたのですが、カメルーンはどうなのでしょうか。

星野　以前に比べれば、情報インフラも整ってきています。僕の出身の村に近い町までは電気も来ているし、インターネット環境も整いつつあるようです。

日本にいる僕には実感できないけれど、カメルーンの経済は年間三パーセントから四パーセントの成長を続けています。豊かになっているし、生活水準は上がってきているはずです。でも、経済成長の恩恵を受けているのは、都市部だけです。田舎と都市部の格差は、昔に比べれば縮まってきてはいると思いますが、電気の来ていない地域もあるくらいですから、まだまだ大きな差があります。

●日本は集団主義なのか個人主義なのか

編集部　日本とアメリカの政治的な関係は強くなるばかりですが、一方で政治に引きずられずに個人の考えを大切にしたいという人も、日本では多くなっている気がします。日本は多数に引きずられる集団主義なのか、個人を中心に考える個人主義なのか、おふたりにはどう映っていますか。

星野　どちらかというと、日本は集団主義の国だと言われてきましたよね。個人よりも集団、つまり国家を優先すると思われてきたと思います。

編集部　個人主義が日本に持ち込まれたのは明治時代で、それまでは自分が所属しているコミュニティ、そして国家が主体の考えかた、生活を日本人はしてきました。

星野　僕は、集団主義的な考えかたは怪しいものだと思っています。集団で生活するために集団に合わせることは、どんな国でも大なり小なりあるはずです。
　ただ日本において集団に合わせるというのは、「集団から除け者にされないため」ではないでしょうか。集団のために何かを前向きにやるのではなくて、集団から除け者にされないため、自分を守るための集団主義のように思えます。

編集部　たしかに、星野さんが指摘される側面が日本人にはあります。同調圧力に屈しやすいとか、横並びなども共通している気がします。

星野　集団主義にカモフラージュした個人主義に、僕には見えます。個人の理屈があるのに、無理やり集団の理屈で隠してしまおうとするところが日本にはあるようです。

編集部　かつて日本には「村八分」という言葉がありました。村の慣習や掟に従わなければ、葬式と火事のときだけは助けるけれども、それ以外はいっさいの交際を断つという制裁です。完全に断つわけではなくて、葬式と火事だけは例外にするところが、日本人の優しさかもしれません（笑）。とにかく、そういう制度でもって集団に合わせることを強制されてきた歴史があります。

星野　日本の村の規模は、カメルーンと比べて大きいのかもしれません。カメルーンで村といえば、ほんとうに身内だけです。僕のイメージにあるカメルーンの村は、祖父と祖母、その子供たち、せいぜい祖父の兄弟くらいで村ができています。ほとんど家族ですから、無理な慣習や掟をつくる必要がありません。

編集部 日本の村はもっと大きくて、違う家族が同じ地域に住んでいるところです。そういう村では、家族同士の軋轢(あつれき)なども起きて、ややこしい関係になりがちです。そういう環境下では秩序を保つために、慣習とか掟みたいなものが必要になるのかもしれません。

星野 個人を、集団の慣習や掟のなかに閉じ込めることになります。そこから脱することは強く戒められることになる。

日本で減点法が目立つのは、そこにも原因があるのかもしれません。公務員の仕事でも、良い仕事をして褒められることは滅多にないけれど、少しのミスでもあれば酷く責められます。減点法だからです。

編集部 だから、日本人は褒めることが下手なのかもしれません。

星野 カメルーンの学校に通っていたとき、「日本の学校とは違う」と思ったことがあります。テストの点数が良かった子とか、授業中に発表して頑張っている子とかを、凄く褒めるのです。先生が「みんなで拍手しましょう！」と言って、クラス全員で褒めます。そういう「褒める文化」がカメルーンにはあります。

飛行機が着陸したときにも、カメルーンでは乗客全員が必ず拍手します。無事に着陸できて良かった、という気持ちもあるでしょうが、それ以上に運んでくれた機長さん、CA（キャビンアテンダント）さんに感謝を伝える気持ちからの拍手です。良いことをした人を讃える文化が、カメルーンにはあります。

日本人の父は、テストで良い点数をとってきても、何も言いません。何も言わないのが褒めていることになるらしい。しかし、悪い点数だと声に出して怒られます。悪い点だと怒るけれども、良い点数だと、点数をチラッと見て「ん」くらいしか言わない。「褒めてよ！」と思ったものです。あれが、日本的減点法の意識の現れだったのだと思います。

編集部　その通りです。怒るべきは怒るのに、褒めるべきは褒めません。言われてみると不思議です。

星野　恋愛でもそうです。彼氏が褒めてくれないと、よく日本の女性は不満を口にします。不満を言うけれども、女性だって男性を褒めません。

モーガン　アメリカ人男性は女性を褒めます。女性はみんなプリンセスだと、小さいころから躾けられてきました。たとえば女性がカバンを持っていると、親が「プリンセスなのだから、お前が持ってあげなさい」と言います。

編集部　知り合いの女性、もう八〇歳近い女性でしたが、ロンドンのダウンタウンで転んだとき、パンクファッションの若い男性が「Are you OK?」と言って、スッと手を差し伸べてきたのに驚いたそうです。

モーガン　ヨーロッパもアメリカと同じですね。それが、教育です。

編集部　星野さんのお父さんでも、息子がテストで良い点数をとってきたら嬉しくないはずはない。心のなかでは褒めていると思います。

星野　それは、こちらもわかっています。わかってはいるけれど、言葉に出して褒めてほしいのです。思っているだけでは、こちらに伝わらない。

そういう文化だから、躾(しつけ)でも恋愛でも、政治でも減点主義になってしまっているのではないでしょうか。減点されないことばかりに気を使って、良いことをしても、それをアピールしない。

モーガン　ただ日本人が人を褒めないのは、相手の気持ちを尊重しているところもある気がします。褒められたら恥ずかしくて困る人もいるわけで、そういう気持ちを尊重して褒めないのかもしれません。

アメリカ人は口では褒めますが、心から褒めているかどうかは疑問です。飛行機が着陸したときに乗客が拍手するのは悪いことではありませんが、プロの仕事としては普通のことです。それを褒められるのは、気恥ずかしいかもしれない。日本人の褒めない文化は、そういうところと似ている気がします。

星野　プロとして当然の仕事をしただけなのに、それを、わざわざ褒めるのはおかしいというわけですね。

●気の使いすぎは日本人の美徳か

モーガン　いろいろな意見があるなかで、建前やお世辞で、その場をやり過ごすのが日本人です。それは、凄い技術だと思います。

たとえば隣家の人が業者を呼んで、庭の手入れなどの作業をしてもらう際に、自分の家の前に業者がクルマを駐めているとします。アメリカだと、「ここはオレの家の前だから、すぐに移動させろ」と抗議が来るはずです。私の家の前に隣で作業している業者のクルマが駐められていたら、「どけろ！」と私は言います。

しかし妻（日本人）は、「ゴミを捨てるのを手伝ってもらったりもしているから言えない。我慢する」と言います。もちろん自分にとっては邪魔なのですが、相手の都合も考慮してしまい、抗議はできないわけです。

編集部　隣の家が庭の手入れで呼んだ業者のクルマが自分の家の前に駐められて、迷惑だったとしても、近い将来、自分の家の庭の手入れで呼んだ業者が、クルマを隣の家の前に駐めることもあり得るわけです。そこまで考えると、「すぐに移動させろ」とは言いにくい気がします。

星野　「移動させろ」と言ったら、隣人との関係が悪くなるから、言い出せないわけですよね。そんなことで悪化するような関係でなければ、言えるわけです。「これ、ちょっと移動させてくれる?」と頼んで、素直に「OK」と応じてくれる関係なら問題はないはずです。

言い出せないのは、クルマを駐めている行為だけでなく、その人の人間性さえも攻撃しているように受け取られるのを心配するからではないでしょうか。

編集部　日本人は、そう考えますね。言われたほうも、行為以上に自分自身を攻撃されたと受け取ることが多いかもしれません。

星野　文化でしょうか。防衛本能が強いのかもしれません。自分の家の前にクルマが駐められていたのが気になったのだな、としか受け取らなければ、すぐ「OK」と言えるはずです。それ以上、根に持つことも、あとを引くこともありません。行為を人格そのものに結びつけてしまう文化のために、なかなか素直に話せなくなっているのではないでしょうか。

編集部　ほかに移動させるにしても、次の家の人に迷惑をかけるかもしれない。そうすると移動してほしい人も、移動しなければいけない人も、素直に自分の気持ちを伝えることに躊躇してしまうところもあるかもしれません。

星野　日本の住宅事情って、そんなに狭いところに家が並んでいますか。

モーガン　狭いですよ（笑）

星野　それでも、コミュニケーションがとれていたら大丈夫のような気がします。狭いからというよりも、コミュニケーションが不足していることが理由ではないでしょうか。と言いながら、僕も日本育ちなので、コミュニティではそれなりに気を使って生活していますけどね（笑）

　気を使って、言えないで我慢することもあります。ただ、気にしすぎだと思うことも少なくありません。客観的になると、お互いに考えていることを素直に口に出して簡単に済むことも多いはずだし、お互いがそういう性格なら問題にもならないだろうと考えてしまいます。

編集部　そうはいかないのが日本なんですね（笑）。欧米流のディベートやディスカッションは、相手の人格まで攻撃するような性格のものではありません。ところが日本流の「論争」になると、人格攻撃までやらないと済まなくなる。だから、日本人は論争を好まず、建前で話すことを優先するのかもしれません。

星野　日本人は話し合うこと、ディスカッションが苦手ですよね。僕は、幼なじみとディベートするのが好きです。居酒屋で僕と友だちがディベートを始めると、まわりの日本人は引いてます。ケンカが始まったと受け取るようです。

でも、ディベートが終わると、ケロッとしています。幼なじみで気心も知れていて信頼関係があるから平気なのかもしれません。

ディベートして家に帰ると、凄く気持ちがいい。ああいう意見もあるのか、あいつの意見もいいな、とか思います。

モーガン　ＴＰＯですね。あるとき、自分の意見をぶっきらぼうに口にしたことがあります。それについて日本人の友だちから、あとで叱られたことがあります。「そういう意見を言うべき場所ではなかった」というのです。つまり、私はＴＰＯを間違えていた。

編集部　極端な譬えを言えば「結婚式のときに葬式の話をするな」ということでしょうか。そういう類のことには、日本人は敏感ですね。

モーガン　アメリカ人は自分の意見だけを吐き出す傾向がありますが、やはり受け取る側の都合を考えることも大事だと思います。日本人は相手のことも考慮しながら、ＴＰＯを考えて発言します。それは、日本の良いところだと思います。

ただ、TPOを考えるという日本人の美徳も、最近は変わってきているように感じています。TPOを考えないというか、まわりの人を気にしなくなっている日本人、とくに若い人が増えてきていると思います。

所構わずゴミを捨てるなど日本ではあり得ないと思っていたのですが、最近では、道路のあちこちにゴミが捨てられています。日本人も変わってきているのかもしれません。

星野　僕は、日本の「清潔さ」が大好きです。カメルーンではあちこちにゴミを捨てるから、日本では考えられないくらい散らかっています。それを誰も気にしないから、ますます汚くなっています。

新幹線に乗っても、終点に着くと必ず掃除されて、清潔に保たれています。公衆トイレもきれいです。カメルーンは、マジで汚い。日本の清潔さは、これからも守られてほしいと思っています。

編集部　じつは日本も昔は汚かったのです。ゴミのポイ捨ても普通のことでした。日本が清潔になったのは、ゴミ捨てなどを行政が厳しく取り締まるようになって、それを国民が守るようになったからではないでしょうか。つまり、集団主義の成果かもしれません（笑）

●世界の「中国人観」

編集部　日本人が気になる国といえば中国ではないかと思います。中国との関係は長いけれども、関係は微妙です。その微妙な関係が、現在はさら微妙になってきています。そういうなかで、中国という国は、中国人は、世界からどのように見られているのか、日本人には気になるところだと思います。

星野　カメルーンでは、「アジア系＝中国人」というイメージが強いです。とにかくアジア系でカメルーンに住んでいる数で言えば、圧倒的に中国人です。

中国人をフランス語では「シノワ」と言いますが、子供のときに家族でカメルーンに行ったとき、うちの父も「シノワ、シノワ」と言われていました。それで「日本人だ」と言うと、「あー、ジャポネね」といった具合で珍しいという反応でした。中国人はいっぱいいるけれど、日本人は少ない。

編集部　カメルーンでも、目立つほど中国人が進出しているわけですね。その中国人を、カメルーンの人たちはどう見ているのでしょうか。

星野　外国から来ているのに、カメルーン人の土地で成功しているから、やっかむ気持ちがカメルーン人にはあります。中華コミュニティがあって、そこで商売したりレストランを経営している中国人がたくさんいます。

自分たちより肌の色が薄い人を、カメルーン人は一緒くたにして「Blanche（ブランシェ）＝白」と呼びます。西欧人も中国人も日本人も、同じブランシェです。

大昔に自分たちの土地にやってきて自分たちを支配してきたのが白い人たちで、いまは独立したけれども、いまだに「白い人たちは自分たちを支配してきた」という意識は消えていません。小学生のときカメルーンに帰って、僕ひとりが歩いていると何も言われないけれど、妹と歩いていると、「自分の国に帰れ」とメチャクチャに言われて、妹が泣き出したことがあります。妹は日本人の父とカメルーン人の母の間に生まれた子だから、肌の色がけっこう薄い。つまり、地元の子からすればブランシェです。

ブランシェに対する怒りは消えていないわけで、そういう意味では、ブランシェである中国人は良くは思われていないはずです。

編集部　ブランシェである日本人も、同じように良くは思われていないということでしょうか。

星野　ビジネスで来ている日本人は少なくて、多いのは研究のために来ている人です。日本のクルマもたくさん走っているので、日本に親近感を持っているのか、日本人に対してはネガティヴではない、というのが僕の印象です。

編集部　ブランシェというイメージもあるけれど、先ほど言われたように、自分たちの土地で商売して金儲(もう)けしているということで、中国人は良く思われていないということでしょうか。

星野　やはり、美味しい思いをしている、それで良い暮らしをしているというイメージを持たれています。ただ、カメルーンのある層の人たちは、中国人と仲がいい。中国人と一緒に商売をして、成功している人たちです。彼らにしてみたら、「中国人さまさま」ですよ。

フランスの植民地時代から、政府関係者や大きな会社の経営者といった上流層は、外国と組んで金儲けをしてきました。その構図は、いまも変わっていません。

しかし、上流層以外の人たちは、外国人が国に入ってくることでの恩恵は、あまりありません。それどころか、外国資本が入ってくると、外国からの移民が増えるばかりで、仕事までが盗られてしまいます。そういう人たちは、外国人が入ってくることに良い感情を持っていません。

中国人に対しても、そういう感情を持っている人が少なからずいるはずです。

編集部　ちょっと前までは、アメリカは中国と組んで金儲けしようというスタンスだったと思いますが、いまは敵国になっていますよね。

モーガン　中国共産党に問題があっても、ソ連（ロシア）とのバランスを取るためにアメリカは中国と仲良くしていた面があると思います。

星野　「敵を育てている」ということですね。ほんとうは敵のはずなのに、ロシアと一対一で対峙（たいじ）するとマズいので、バランスをとるために、三つ目の勢力として中国を支援して育てたのでしょう。

編集部　国際テロ組織「アルカイダ」にしても、アフガニスタンに侵攻したソ連軍と戦わせるために、アメリカが軍人を送って訓練するなど、支援して育てました。

モーガン　敵を育てて、大きくなってくると、「何やってるんだ！」と叩きはじめる。だから、アルカイダにも同時多発テロで仕返しされたわけです。

中国も「何やってるんだ！」と自粛させたいけど、もうアメリカがコントロールできないところまで大きくなってきています。だからアメリカは、貿易量を減らしたり、いろいろなかたちで中国の力を弱らせようとしています。中国資本の「TikTok」を禁止する法律をモンタナ州が二〇二四年一月一日から施行するのも、そのひとつです。

でも、そんなことでは中国を牽制（けんせい）できないし、負かすこともできません。中国を敵だと思うのなら、本気で戦争する準備を整えなければ無理です。しかしワシントンは、中国と戦争する気はありません。

●米中関係と日本の立ち位置

編集部　アメリカはロシアとのバランス上、中国を育ててきたけれど、思った以上に中国は急速に力をつけてきました。しかし、アメリカは中国と戦争するまでの覚悟はない。それで米中のバランスは保たれますか。

モーガン　アメリカが本気で中国との戦争を考えていないのは、アメリカの属国である日本があるからです。ここまで中国がモンスターになってきて、もしも衝突という事態になったとき、その問題と正面から向き合わなくてはならないのは、中国と距離的にも近い日本です。

中国と日本が衝突したとき、「Good Luck」と言ってアメリカは日本から去っていくはずです。アフガンでも、タリバンとの戦争が激化してくると、二〇年も付きあってきたアフガンの人たちを残してアメリカは撤退しました。Good Luckはアメリカの常套手段です。

編集部　アメリカ政府は、中国を利用しておいて、今度は敵視しているわけですね。アメリカの一般の人たちは、中国をどのように思っているのでしょうか。

モーガン　中国人は、世界のどこでも金儲けしています。それこそ、月に行っても、そこには中華鍋を持った中国人の商売人がいるのではないでしょうか。

編集部 アイルランドの小さな村、それこそパブが一軒しかないようなところに行ったことがあります。そこにも、中国人が経営する中華料理店があって驚いたことがあります。

モーガン どこにでも入り込んで、金儲けするのが中国人です。そんな中国人の行動を、アメリカ人の多くは嫌っています。しかし、中国も嫌われることをしているけれど、ワシントンも嫌われることばかりしています。だからワシントンが「ヘイト・チャイナ・キャンペーン」をやっていても、「ワシントンのほうこそ問題じゃないか」とアメリカ国民は思っている。だから、キャンペーンにも一般国民は乗り気ではありません。

編集部 カメルーンでも、それこそ庶民が行くような街の中華料理店みたいなものはあるんですか。

星野 ファミリーレストランみたいな中華料理店はあります。めちゃくちゃお金持ちの中国人がやっているわけではなさそうな店です。

モーガン 植民地時代の欧米人は平気で搾取していましたが、最近は少し優しくなって露骨な搾取はしていないと思います。搾取が悪いことだと教えられてきている影響もあるはずです。

ただ中国人は、いまも平気でアフリカ人を搾取しています。これは、ちょっと危険な傾向だと、私は思っています。

編集部　元日本軍人で、先の大戦のときに中国で諜報活動をしていた人に話を聞いたことがあります。彼は、中国で道徳を説く儒教が発展したのは、中国人が「反道徳」的な民族だからだと言っていました。モラルを軽んじる民族性だからこそ、強く道徳を重んじる思想によって抑えたというわけです。

モーガン　私は、中国に半年間、暮らしていたことがあります。毎日のように騙されました。ある日、日本人と一緒にリンゴを買いに行きました。中国人の店の人は日本人には、リンゴを五元で売りました。中国人と日本人の顔は区別がつきにくいので、中国人だと思って五元で売ったのだと思います。

ところが、同じリンゴを、私にはニヤニヤしながら「一〇〇元だ」と言うのです。私の顔はアメリカ人ですから、アメリカ人には高く売れると考えたのだと思います。

それに私は、「値札に五元とあるじゃないか」と中国語で抗議しました。すると彼は、少しも悪びれず、「じゃ、五元にします」と値段を下げました。アメリカ人で中国語もわからないだろうから、高く売りつけられると考えたはずです。

しかも、ぜんぜん謝らない。同じようなことが、毎日のようにありました。中国人にはモラルがない、と痛感しました。

星野　中国人だけでなく、カメルーン人も同じようなことをやります。日本人である父には、凄く高い値段をふっかけてきます。

値段があったとしても、それは人が都合で付けたものにすぎません。いくらで交換するかの絶対的なものはないはずです。そのときの気分でレートは変わるものという感覚があります。

外国人に対してだけでなく、同じカメルーン人であっても、人によって値段を変えます。ブランシェならば、お金持ちだから高い値段をふっかけてもいいという感覚があることを、カメルーンにいるときに感じました。ただ、それは僕が子供のときの体験ですから、いまは、どうなのか断定的なことは言えません。

編集部　いまはマシになっていますが、同じことは日本でもあったはずです。

モーガン　しかし、中国はいまでも同じです。中国にいるとき、私はいつも同じ屋台でクレープのようなものを買って食べていました。行きつけの屋台ですね。

その屋台は女性がやっていて、いつも五歳か六歳くらいの女の子を連れていました。服装も汚いし顔も汚れているような子で、私が支払いを済ますと、その子が「おカネをくれ」という仕草をする。それで日本円で一〇円とか二〇円をあげていました。そういう「物乞い」をするのが普通みたいでした。
あるとき、同じ女の子が道で物乞いをしているのを見たことがあります。その女の子がある中国人のお婆さんに、「おカネくれ」と汚れている手を差し伸ばすと、そのお婆さんが女の子に、「あの外国人はカネを持っているから、あそこに行ってこい」と指示している。痛ましい光景で、私としては複雑な気持ちでした。

編集部　中国人にしてみれば、欧米人はお金持ちという感覚なのでしょうね。お金持ちからは、余分にもらって当然と考えるのかもしれません。

モーガン　わたしは留学生で、アメリカに帰れば非常に貧しい。しかし中国では、王様のようなレベルです。一般的な中国人に比べれば、お金持ちです。

星野　中国が貧しい、ということですね。
日本の学校で、歴史で植民地時代を扱う時間があって、植民地の人たちが迫害された話になって、アフリカも植民地だったと先生が説明する。するとクラス全員が僕のほうを見て、「大変だったね」という顔をするんです。
彼らの気持ちもわかるけど、植民地での扱いを僕が直接に受けたわけではないので、複雑な気持ちでした（笑）

●ウクライナ戦争での変化

編集部　ロシア軍がウクライナ侵攻を開始したのは二〇二二年二月二四日でしたが、これも世界を変える出来事だったと思います。

星野　近代国家が近代国家にミサイルを撃ち込んで侵攻するなんてことが起きるとは、あの日まで、僕は想像さえしませんでした。アフリカでは、いろいろな利権が絡まっての紛争は起きています。それでも、大きな戦争は起きない社会になってきているという意識がありました。

あのウクライナ侵攻で、しばらく、自分の表現活動ができなくなりました。戦争のない社会に向かっていると思っていたのに、「まだ戦争の可能性はなくなっていない」と考えるようになって、パニックになりました。

モーガン　ロシアのプーチン大統領は、核兵器の使用さえ臭わせているし、ショイグ国防相は、「敵の核攻撃への対応」の演習を行ったとも述べています。核戦争も現実味を帯びてきてる状態で、怖いです。

星野　ウクライナ侵攻から波及して、台湾有事も現実味を帯びて語られるようになってきています。それまでは台湾有事はファンタジーな世界で、陰謀論者とか、有事を強調することで金儲けしたい人だけが言っているのだと思っていました。

ところが、テレビ番組でも戦車に乗っている女性自衛官を特集したりしていました。これまでそんなことが取り上げられることはなかったので、戦争ムードがつくられていると感じました。あんな番組をオン・エアすれば、国民は「戦争が起きてもおかしくない」という思いを持ちかねません。みんなが、心のなかで「戦争の準備」を始めさせられている気がします。心の準備が始まった時点で、だいぶ日本社会が変わってきた気がします。

モーガン ほんとうに日本は変わりました。二〇二二年に千葉県の柏市で講演をしたのですが、私は〝札付きの右翼〟ですので（笑）、それまでだったら抗議されることが多かったのです。ところが、講演が終わって帰ろうとしているところに中年の女性が近づいてきて、「いままで平和のための活動をしてきましたけれど、モーガンさんの言っていることに納得しました」と言うのです。ウクライナのニュースを見ていて、日本でも戦争は起こり得るし、準備しなければならない。憲法改正も必要だと言う。まさに、その通りです。それを私も伝えたかった。

戦争は大嫌いです。戦争をやりたいと言っている政治家も大嫌いです。それでも、戦争はあり得るし、準備は必要だと思っています。ウクライナで起きていることを見て、「明日は我が身」と考えた日本人は多いのではないかと思います。

アメリカに頼れると思っているかもしれませんが、日本にミサイルが飛んできたら、アメリカは「Good Luck」と言って去っていきます。戦後の日米関係なんて幻です。日本人の平和ボケは危ない。

星野　日本人の多くは、アメリカとの関係を、どう考えているのでしょうか。アメリカがたとえば中国と戦うとなったとき、アメリカと一緒になって戦おうと思っているのか、アメリカだけが戦えばいいと思っているのか。

編集部　一緒に戦おうとは、大半の日本人は考えていないと思います。アメリカは日本を守ってくれる存在で、戦うのは任せますという姿勢です。アメリカだけが戦って、日本は後方から出ていかない。

モーガン　そういう日本の姿勢は、アメリカ人として大嫌いです。いい加減にしろ、と思います。

戦いで死ぬのは、私の国の人で、しかも兵士に駆り出される貧しい人たちです。なぜ貧しい人たちだけが死ななければならないのか、それを日本が強いることも疑問です。

編集部　日本国憲法第九条で戦争放棄を謳(うた)っているわけですが、占領軍が日本に戦争放棄を強いたのは、特攻など、アメリカからすると常識外のことをやる日本を、とにかく抑えておかなければいけない、という発想からだと思います。

日本も大東亜戦争で多くの犠牲者を出していますから、戦争は嫌に決まっています。アメリカが守ってくれる日米安全保障条約が出来て軍事は考えなくても良くなって、経済成長に邁進したわけです。その体制が延々と続いてきたことで、外国が攻めてくるとか、家族を守るとか、大切な意識を失ってしまっています。

モーガン　戦後、日本は自らの暴力性を反省しなければならない、とアメリカが思想教育をしましたからね。まさに日本が戦争をできなくするための情報戦でした。その情報戦で日本人が平和ボケしてしまったことは、アメリカ人として謝らなくてはなりません。

星野　日本の学校で僕も、日本が侵略戦争を起こして、そこにアメリカ、イギリス、フランスという正義の味方が現れた、みたいに教えられました。

日本とドイツ、イタリアは赤い炎の前に立っている悪者で、そこにタッタラ〜とテーマソングに乗って正義の味方が颯爽と現れて、悪者を懲らしめた。そして日本に平和憲法を与えて「さぁ、軍人の支配から解放されて平和に生きていきなさい」と去っていく。そんなイメージを子供のころに植えつけられた気がします。

日本は悪者だったんだな、と日本の子供たちは思って育ってきたはずです。

モーガン　アメリカの教育も構図は同じです。アメリカはスーパーマンで、いつも正義の味方だと教えています。

星野　アメリカをはじめとする連合国は、じつは世界中を植民地支配している。大人になって自分で勉強してみると、それに気づいてしまうわけです。「あんな教えかたしやがって、やってくれたな」という感じです。

モーガン　同じ情報戦がウクライナ戦争でも行われています。ウクライナを支援する西側を正義の味方とする情報戦です。

冷静にロシア側の論理を説明しようとすると、「おまえはロシアの味方か」と批難される。私は、「プーチンのスパイ」と言われたことさえあります（笑）

私が言っているのは、単純に白黒だけで語れない問題があるということだけです。複雑な世の中だから、一方的な情報に流されると現実を理解できなくなると、私は言いたいわけです。

戦後のアメリカによる情報操作に慣らされてきた日本人は、すぐ情報操作でコントロールされてしまう気がします。それが、ウクライナ戦争でも露見してしまっている。

日本の学校で僕も、日本が侵略戦争を起こして、
そこにアメリカ、イギリス、フランスという正義の味方が現れた、みたいに教えられました

日本とドイツ、イタリアは
赤い炎の前に立っている悪者で

そこにタッタラ～とテーマソングに乗って正義の味方が颯爽（さっそう）と現れて

悪者を懲らしめた

そして日本に平和憲法を与えて『さぁ、軍人の支配から解放されて平和に生きていきなさい』と去っていく

そんなイメージを子供のころに植えつけられた気がします
日本は悪者だったんだなと日本の子供たちは思って育ってきたはずです

アメリカの
教育も構図は
同じです
アメリカは
スーパーマンで
いつも正義の味方
だと教えています
HERO
アメリカを
はじめとする
連合国軍は
じつは……

世界中を
植民地支配
していた
大人になって
自分で勉強
してみると
それに
気づいて
しまうわけ
です

「あんな教え方
しやがって、
やって
くれたな」
という感じです

同じ情報戦が
ウクライナ戦争でも
行われています
ウクライナを
支援する西側を
正義の味方と
する情報戦です

第二章 理想的と言い得る経済モデルはあるのか?

●分け合う経済

編集部　経済の話に移りましょうか。理想的な経済モデルがあるのかどうか、どう思いますか。

星野　現状から言えば、世界でいちばん採用されているのが資本主義になります。理由は単純で、パワフルだからではないでしょうか。

編集部　貧富の差が生まれるという欠点はありますが、いちばんおカネが回りやすいモデルだから、採用している国が多いのだと思います。共産主義の理想は、平等に働いて平等な賃金をもらって、平等の暮らしをする社会の実現ですが、成長を前提としない経済モデルです。おカネが増えていかないということですから、そのうちジリ貧になってしまいます。

星野　共産主義や社会主義は、そもそも「無理筋」だと思います。

人間って行き当たりばったりで、お腹が空いたら「飯を食いに行こう」となるし、買い物でも品物を目の前にして「どっちにしよう」と迷ってから買います。そういう〝欲〟が、資本主義の神髄なのだと思います。だから、経済モデルとして資本主義が多くを占めている。

しかし共産主義や社会主義は、食事の時間は決められているし、買い物も選択の余地のないシステムです。決められた時間に腹が空かないこともあるし、品物を目の前にして迷わないと満足できる買い物ができない、それが人間です。
　だから、共産主義や社会主義は現実的な経済モデルではない、と思います。理想的なコミュニティをつくりたい、という精神論の話でしかありません。
編集部　日本の昔の村社会とかカメルーンの部族社会のような、もの凄くクローズドな小さな、あまり争いのない社会なら、共産主義も成り立つのかもしれません。
星野　たしかに、僕の母が育ったカメルーンの村は、共産主義や社会主義に近いものがあるかもしれません。
　森で仕留めた獲物は、絶対に同じ村に住んでいる人たちと分け合います。誰が獲っても、みんなで分けます。これが、仲良くしていくための慣習です。
　獲った人だけが独り占めする、つまり資本主義の論理でやろうとすると、反感を買うことになります。
モーガン　なるほど、反感を買うと命に関わるわけですね。とても、独り占めなどできないシステムになっている。
星野　日本で独り占めが可能なのは、つまり資本主義が可能なのは、誰がどれだけ独り占めしているのかわからないからだと思います。小さい村なら、そういう情報は筒抜けです。独り占めすると、すぐにわかるから、結束したほかの人たちに糾弾される。だから、独り占めは絶対に無理です。

モーガン　誰が獲物を獲ったか可視化されているので、自分の命を守るためには、それは村中で分けるしかない。

星野　獲物を獲ったら、すぐに村中に知れわたります。「でかい鹿を獲ったらしいぞ」となれば、こっちの脚はあっちの家に、村長は偉いから良い部位を、獲ってきた本人は「オレが獲ったから多めにもらうよ」となります。

ひとつには、それが保険のシステムにもなっています。自分が獲れなかったときも、誰かが獲れば肉を分けてもらえます。飢えないで済むための保険です。

編集部　そういう共産主義的なシステムが可能なのは、小さいコミュニティだからですね。大きなコミュニティ、それこそ国レベルの規模になると、とても無理です。

モーガン　国家というものが始まったのは、縄文的な生活から弥生的な生活に移ってからだと言われています。狩猟生活から、作物をつくる農業生活になったからです。

国家というのは、いわば〝ギャング〟です。国民が稼いだものを奪い取るギャングみたいなものです。

たとえば、国民が稼いだものから国家が一割を奪うとします。狩猟生活なら、「一割よこせ」と言われたら、拒否して、ほかの土地に移って狩りをすればいい。だから、国家もやっていけない。

ところが農業生活になると、その土地から離れられません。逃げ出せないので、「一割よこせ」と言われたら、しぶしぶ差し出すしかない。そして、ギャングである国家が成り立つわけです。

星野　農業革命で定住生活になったために、国家が形成されていったというわけですね。

モーガン　そうです。しかも、いまは物（＝富）が足りない時代です。〝富〟が足りないので、それを取り合うことになります。富の取り合いで争いも起きます。

編集部　豊かになるには富が必要で、それには経済をどんどん成長させて富を増やさなければならない、そういう強迫観念みたいなものが世界中に溢れている気がします。富の取り合いで争いも起きていく。

どの国も同じように富の取り合いをするのではなく、それぞれの国に合った経済モデルというものはないのでしょうか。

モーガン　ないですね。どう考えても、国家が経済モデルに絡んできてしまうので、経済モデルが国家というギャングに台無しされるのです。

星野　それぞれの国に合った経済モデルといっても、結果論ですからね。結果として、いまの経済モデルになっているわけで、先にモデルがあったわけではないと思います。

編集部　ロシア革命にしても、現在から見れば「バカなことをやった」としか思えませんが、革命を起こさなければいけない必然があって、結果として革命になってしまった。

星野　より良い暮らしをしたい、というのが人間の本質だと思います。ただ、先ほどの話に出た縄文時代には、その良い暮らしという思考がなかった。その日に必要な獲物を獲るだけで貯える発想がないので、より良い暮らしをする、つまり金持ちになろうという考えがない。

明日も明後日も来年も必要な物を確保していく、その上限が上がっていくと、貯える発想が必要になってきます。富は有限なので取り合いになり、多く獲得した者が富者になり、獲れなかったら貧者になるしかない。

編集部　先ほど言ったロシア革命にしても、食えない民衆が、ひとりだけ食ってる皇帝から自分たちの食う分を手に入れるために倒した。共産主義という理想よりも、食えないという現実から革命に繋がった気がします。

●見えるおカネと見えないおカネ

星野　いまの富というのは、「見えないおカネ」ですよね。お金持ちといっても、手元にすべての現金や財産があるわけではない。

コメが経済の基本だったころの日本では、その年に穫れたコメの量は有限なものでした。コメ＝おカネと考えれば、おカネの上限は決まっていたわけです。

ところが現在は、おカネは「信用創造」みたいなものです。たとえばカードローンを使えば、現金を手にすることができます。信用によっておカネが創造されるわけです。これを分け合うのは難しい。

モーガン　そうですね。それが、経済を考えるうえで、大きなポイントになるような気がします。

星野　株価にしても、上限が決まっているわけではありません。もっと上がっていいという投資家の思惑が一致すれば、どんどん株価は上がります。先ほどのカードローンみたいに、借金すれば、どんどん手元の現金は増やせます。といっても、実際には借金も簡単にはできませんけどね（笑）

モーガン　仮想通貨（暗号資産）がわかりやすいかもしれません。金（きん）などの裏付けもないし、硬貨や紙幣があるわけでもない、インターネット上でしかやり取りできない通貨なのに、価値がどんどん上がったり下がったりします。その上限がどれくらいなのか誰もわからないので、ずっと増えつづけるという幻想にも繋がります。

仕組みをもっと複雑にして考えてみると、仮想通貨の価値は、たとえば米ドルと反比例的に表されていることとなります。そういう意味では、仮想通貨の価値が上がったり、下がったりしているというよりも、米ドルの価値が逆に下がったり、上がったりしているとも言えます。

しかしどのみち、目に見えない価値が推移しているのです。こういった世界では、実際に目で見えるコメが経済の基本というのは考えられません。

編集部　現物としてのコメは、すべてなくなって流通しなくなれば、パニックです。とはいえ、倉庫にストックがある限り、安定は保たれます。

ところが仮想通貨は、一瞬にして消える可能性もあるわけです。それを考えれば、いつだって安定している状態ではありません。

モーガン　そうした幻想の経済に不安を感じている人は増えていると思います。アメリカでは、都会から田舎に戻って農業をやる人が増えています。同じことを考える人が日本でも増えている気がします。じつは、私も田舎で農業をやろうと考えているひとりです。

私も田舎育ちなので農業の大変さは知っているつもりですが、それでも農業に憧れてしまいます。土地を耕して、家畜の糞を肥料に活用してトマトを育てて、それを食べる。このサイクルは、実感としても理解できるじゃないですか。

でも、先ほどの仮想通貨は、どういうサイクルで値上がりするのかわかりません。株価にしても、サイクルのメカニズムは誰にもわかりません。そういう理解できないものをベースにして暮らすのは、不安で仕方ありません。

星野　考えてみれば、存在していないものを存在しているものとして扱えるのが人間だと言えます。

編集部　仮想通貨や株式を理解できる動物はいませんからね（笑）。その意味では、人間は凄い。

星野　豚もトマトも所有していないけれど、一万円札があれば豚肉もトマトも買えることを疑わないのが人間です。仮想通貨についても、「一億円分のビットコインを所有しています」と言う人には平伏してしまいます。

編集部　一万円札は、考えてみれば、ただの紙切れでしかありません。その紙切れと豚肉を交換して疑問に思わないわけです。

星野　僕たち人間の脳味噌は、ファンタジーを創る力が強いと言えます。

　ナチス・ドイツの総統だったアドルフ・ヒトラーは、美術大学を不合格になった、しがない一般人でしかなかったけれど、ヨーロッパを支配しかけました。平々凡々な一般人だったヒトラーが、そこまでの人物になれたのは、人々のファンタジー上での彼の価値が上がっていったからにほかなりません。美大入試で失敗した彼とナチス・ドイツの総統になった彼とは、生物学的には何の変化もありません。

　変わったのは、彼に対する人々のファンタジーです。それは、ただの紙切れでしかない一万円札を豚肉やトマトと交換できる価値あるものにしてしまうファンタジーと同じです。

●本質論に走ると損をしがちだけれど……

モーガン　星野さんと初めて会ったときに、とても経済のことを考えている方だと思いました。
星野　おカネって何だろう、ということには興味があります。それがきっかけで、凄く本も読みました。
モーガン　私も、おカネにはとても興味があります。おカネって、魔法みたいですからね。豚や馬といった物が交換される経済の中心にあるのが、おカネです。いろいろなものに姿を変えてしまうのが、おカネなのです。

金本位制の時代には、実在する金の量がおカネの上限を決めていました。しかし現在は、まるで上限のない状態です。姿も変えれば、量さえも増えていく、まるで魔法です。

その魔法のおカネに支配されてしまっているのが、いまの社会です。言ってみれば、ケインズ主義を悪用している政治家が勝手に、おカネを使って、社会を振り回しています。中央銀行が、創造されたおカネの棲家となっているので、中央銀行をバックにする政治家はオールマイティです。だから、私は農業をやりたい。現実に存在する豚と付きあっていきたいのです。豚は、ただ想像するだけでは一〇頭にも一〇〇頭にもなりません。現実に存在する生きもので、魔法の存在ではないからです。

星野　経済というのは、実体のある社会と人間の想像の中間にあるようなものではないでしょうか。

無限に大きくなるという想像をするけれど、そこにも限界がある。アメリカの信用度の低い借り手向けのサブプライムローンが、拡大する金融商品の道具として使われて破綻したのも、日本のバブル景気が崩壊したのも、想像が限界にきて現実に戻された結果ではないでしょうか。

想像という風船はどんどん膨らんで、その限界を誰も予想できなくて、まだまだ膨らむとエスカレートしていく。そして突然、弾けてしまう。

編集部　いつかは弾けることはわかっているはずなのに、まだまだ弾けるはずはないと想像して、投資してしまうわけです。

星野　面白いのが、おカネに興味を持って研究している人にお金持ちはいない、というところです。

知り合いに経営者がたくさんいて、みんなお金持ちです。しかし、おカネの本質についてなんて、一ミリも興味はない。おカネの本質ではなくて、興味があるのは「どうすれば儲かるのか」だけです。

編集部　まさに、マーケットそのものの性格です。マーケットの本質は何かということより、マーケットをどう利用して儲けるかを考えないと、マーケットで成功できない。マーケットの本質ばかり考えていると、貧乏になるだけです。

モーガン　その典型的なひとりが、私です（笑）

星野　恋愛にも同じようなことが言えます。考え込んでばかりいる人より行動する人のほうが得をします。「恋愛とは何か」とか理屈でばかり考えている人より、「遊ぼうよ」と声をかける人のほうが恋愛のチャンスに恵まれます。

経済でも、目の前の実態にダイレクトに向き合う人のほうが、おカネを手にできるはずです。雲の上にいて「経済とは何か」と考えている人は、いつまでたってもおカネを手にすることはできません。

モーガン　古代ギリシアで活躍した喜劇作者のアリストパネースの作品に、ソクラテスをバカにした『雲』があります。ソクラテスは研究室のなかに籠もって考えてばかりいる。しかもその「研究」のテーマはとてもバカバカしい。社会にとってはまったく無用な研究をしていて、雲の上で暮らしているかのように空想するわけです。それを止めろ、とアリストパネースは言っています。自分のためだけではなくて、もっとポリス、つまりコミュニティについて考えなさいと。

もっと具体的に説明すると、虫のブヨが出している音は口から出ているのか尻からなのか、アリストパネースの風刺ではそれを考えつづけているのがソクラテスです。そんなバカなことを研究しているのがソクラテスだ、とアリストパネースは言います。そして、そんなバカなことをやっていないで、社会に出て普通に暮らしていればブヨの音など気にならなくなる、と指摘しています。

星野　それは、思想家の持っている力を甘く見すぎている気がします。「ああだ、こうだ」と考える人がいるからこそ、思想が生まれます。そういう人たちが考えを捏ねくりまわしたなかから、思想が生まれる。経済思想も同じようにして生まれているし、その思想に直接的な経済活動をしている人も巻き込まれるわけです。

モーガン　豚を飼育して生業にしている農家とか、その豚肉を売買して利益を得ている商人を、私は信用しています。

「経済とは何か」と頭のなかで考えるだけで「こうしましょう」と言っている人を、私は信用しません。頭のなかだけで考えた思想を信奉する共産主義者や社会主義者、または株価の価値で振り回される資本主義者は怖い、と私は思います。頭で考えただけの思想が、うまくいくはずはないと確信しているからです。

星野　そういう頭だけで考えたような思想も、僕は必要だと思います。共産主義でも社会主義でも、この地球上に登場してきているものは、必然性があってのことだと考えています。

人類が誕生して最初のころは家族だけで暮らしていたけれど、ある程度人数が増えてくると棟梁みたいな人が登場し、もっと増えると王様が登場する。人数が少なければ誰もが自由に振る舞っても成り立つけれど、社会の人数が増えてくると、それをまとめる存在が必要になるし、ルールも必要になってくるわけです。そのルールは自然に生まれるのではなくて、それを頭のなかで考えている人がいるから生まれてくる、と僕は思います。

編集部　リーダー役やルールがなければ、社会は成り立ちません。そのルールも絶対不変ではなくて、変わっていきます。経済体制も同じで、ルールがなければ成り立たないし、そのルールは不変でもない。

星野　豚を飼育する農家やトマトを栽培する農家もいて、そういう農家を含めていろいろな仕事をする大勢の人が集まると、国家になります。その国家には道路も学校も必要だけれど、普通の農家だったり、道路工事をしている人には、どこにどれくらいの道路を造ればいいのかわかりません。思いつきで、それぞれが工事をやっていたら、メチャクチャになってしまいます。

全体をどうするか、ヴィジョンを描ける存在が必要になります。国家として経済をどういう方向に導いていくかについても同じで、ヴィジョンを描ける人が必要です。

モーガン　いまの日本に、そうした経済のヴィジョンを描ける人はいると思いますか。

星野　そういう人が登場してくるのを、僕はずっと待ち望んでいます。

モーガン　私も待ち望んでいるのですが、なかなか日本のヴィジョンを描いて指し示してくれる人は登場してきませんね。

編集部　戦争に負けてから、日本は戦略を失った気がします。もう行き当たりばったりばかりで、「日本という国はこうあるべき」というヴィジョンを描けなくなっている。ヴィジョンがないから、いまの日本はおかしなことになっている。

ただ、残念なことに亡くなってしまいましたが、安倍晋三さんは「アベノミクス」という経済のヴィジョンを示したと思いますが、アベノミクスをおふたりは、どう評価していますか。


モーガン 私は、アベノミクスを評価しません。ついでに言うと、岸田文雄首相の「新しい資本主義」も評価しません。

アベノミクスで、日本の工場の海外進出が促進されてしまいました。働ける場が減って、日本人は苦しむことになっています。

食料を海外から、どんどん輸入するようにしましたが、それも日本の農家を苦しめています。アベノミクスは、日本人のためになっていない。国家の役割は自国の国民を守ることですから、そうなっていないアベノミクスは評価できません。アベノミクスで株主は儲かったかもしれませんが、多くの国民は恩恵に与(あずか)っていません。私はそう思います。

●経済成長はチキンレース

星野 農業生産物の量ではグローバルには勝てないので、日本の農家は損をしているかもしれません。でも日本は、家電製品とかクルマを世界中に売っています。日本の技術は凄いので、どこかの国が追いつくのは難しいと思います。

そうやって世界に物を売るのなら、世界からも買わなければいけない。それが、当然です。

編集部　国内経済を大きくしていくには、海外との取引は不可欠です。国内の経済成長だけでは限界があります。

星野　多くの国が資本主義を選択しているのは、経済成長のレースに負けたくないからではないでしょうか。ほかの国が資本主義のエンジンを回しているのに、自分の国だけが共産主義や社会主義で国内での完結を考えていると、結局はレースに負けてしまう。経済成長レースに勝つには、絶対に資本主義のほうが高効率です。

経済成長はチキンレースのようなもので、止めるわけにはいかない。臆病風に吹かれてアクセルを踏むのを止めたら、負けます。

編集部　星野さんの話を聞いていて思ったのは、レーニンが提言したように資本主義の最高段階が帝国主義かな、ということです。自分が生き残るためには、どこかの国を犠牲にするか、利用するしかない。自分が成長するためには、どこかの国のマーケットで儲けていくしかない。

星野　いまだに世界を支配しているのは「力の原理」です。なぜアメリカが強いかというと、経済力も軍事力もあるからです。アメリカではなくて、アフリカの小さな優しくて愛に溢れた国が世界のリーダーになれるかといえば、絶対になれない。その現実から、僕たちは逃れようがない。

編集部　大きな経済力のある国が、世界のリーダーと見なされます。リーダーになるためには、経済成長で勝利しつづけなければならない。

星野　優しくて愛に溢れた国が世界のリーダーになることは、ある種の理想だと思います。しかし現実問題として、力の強い国が圧倒的な影響力を持つという枷（かせ）から逃れきれていません。

編集部　困ったことに、力を持っている国は、さらに大きな力を持とうとします。他国を犠牲にしてでも大きくなろうとします。

モーガン　私が待ち望んでいるのは、「国家の終わり」です。国そのものが終わるのではなく、中央政府の権限が小さくなって、その存在感が薄れていくことです。代わって、もっと人間同士の関わりが増えて、ほんとうに平和になると思います。

私は、人を殺そうと思ったことなど、一度もありません。

編集部　普通は、そうですよ（笑）。人を殺そうと思っている人など、そうそういるはずはないと思います。

モーガン　しかし、国家は普通に殺します。アメリカの政府は、国民が銃を持つことを規制しようとしています。多くのアメリカ人が銃を持っていますが、ごく一部を除いて彼らは人を殺しません。その銃を取り上げようとしているアメリカ政府は、日本、ベトナム、イラクなどで多くの人を殺しました。自分たちの力をもっと強くするために、海外で多くの人を殺したのです。そして、それはいまも続いています。

●緩やかな共犯関係で成り立つ経済

星野　自分の力を大きくするために、人を殺すようなことをするのは国家だけでなく、企業もそうです。

中古車販売大手の「ビッグモーター」が保険金の不正請求をしていたことが問題になりましたが、やっていたことは、まさに「人を殺すような行為」です。お客さんのクルマにゴルフボールをガンガンぶつけて傷つけて修理の対象にして保険金を騙しとる。実際に人を殺しているわけではありませんが、同じくらいに悪質で、道義に反する行為です。

そういう不正でもってノルマを達成し、最高で五〇〇〇万円もの年収を社員は得ていました。普通に生活していくのに、五〇〇〇万円もいらないでしょう。そういう社員の家族は、不正をやってまで高額報酬を稼いでほしいと思うのか。それとも、年収三〇〇万円か四〇〇万円でいいから、真っ当な仕事をしてほしいと望むのでしょうか。

編集部　バリバリ稼いでほしいのが優先だと思います（笑）。不正まで許容しているかどうかは、わかりませんけど。

星野　五〇〇〇万円の生活をしていたのに、三〇〇万円の生活を受け入れるのは難しいと思います。だから、五〇〇〇万円の生活のために不正もやってしまう。

同じことが、先進国と発展途上国の関係でも言えます。先進国の人たちは優雅な生活をするために、発展途上国の人たちを安い賃金で働かせて利益を得ています。発展途上国の人たちは、安い賃金で、命を落とすかもしれない危険な仕事さえ強いられています。それを先進国の人はやめられない。

それが、資本主義の世界です。発展途上国の人たちの賃金を上げるために先進国の人たちが生活レベルを落とせるかと言えば、それはできない。発展途上国の人たちに安い賃金で危険な仕事をやらせているとしても、その人の家族は、「バリバリ稼ぎなさい」と言うわけです。

編集部　発展途上国の状況を知らないというか、知ろうとしていないのかもしれません。悪者になりたくないから、知りたくもないはずです。

低価格で業績を急激に伸ばした衣料品販売企業も、生産は発展途上国でやっています。安い賃金で低価格を実現することで業績を伸ばし、社員も豊かな生活を実現できている。しかし、社員の家族が「発展途上国の人たちを搾取して儲けてもいいのか」と言っているという話は聞いたことがありません。

星野　発展途上国の労働環境を自分の目で見たら、「かわいそう」と言うかもしれません。しかし、その実態をより詳しく知ろうとはしていません。

これを、僕は「緩い共犯関係」と呼んでいます。衣料品販売企業の社員の家族だけでなく、僕たちも「共犯者」のひとりです。僕らの経済活動は、発展途上国の人たちも含めて末端で安い賃金で働かされている人たちに支えられています。それを問題にすれば、現在の自分たちの経済活動や生活が失われてしまうので、実態に気づかないふりをしているというか、知らないようにしているわけです。勇気を出してブレーキを踏めずに、みんながアクセルを踏んでばかりのチキンレースです。と言っても、ほんとうのチキンレースは勇気ある者はブレーキではなく、アクセルを踏みつづけるのですけどね（笑）

モーガン　工業生産に頼らない縄文ライフを勧めている私も、ベッドで寝ています。ボタンひとつで沸かせる風呂に入って、ハァーと和んでいる（笑）。その生活は、誰かの犠牲のうえに成り立っている。私も共犯者です。

星野　現在の生活を、大幅に、急に変えていくのは無理です。しかし、緩やかに、できるところから変えていくことは可能ではないでしょうか。モーガンさんのように縄文ライフを勧めていくことで、いまとは違う豊かな社会をつくっていくことが可能だと思いませんか。

モーガン　そうなっていくと信じたいです。

星野　そういう社会が実現できると信じなければ、やっていられない。農村的な暮らしは、都会的な暮らしに比べれば不便かもしれません。その不便さを受け入れる覚悟がないので、下の階層の人々に負荷をかけている可能性があるとわかっていても、いまの生活を手放せないのだと思います。緩やかな共犯関係を選んでいるわけです。

編集部　日本でも農業で生活していこうという人は増えていますけど、どれだけの人が農業をやることのリスクを理解しているのか疑問です。農業をやってみて、想像していたような収入を得られないとなったら、「やっぱり都会の生活に戻ろう」となるかもしれません。

また、緩やかな共犯関係によって経済的にゆとりができたので、田舎で農業をやろうという人も増えているようです。農業で儲けなくても、ある意味、趣味的に農業をやるわけです。そういう人は、大きな台風が来て、育っていた稲が全滅しても、「仕方ないか」と笑っていられます。

逆に言えば、農業で営む生活が厳しくなれば都会に戻れる人や、災害で大被害を受けても笑っていられる人でなければ、農業はできない。つまり、緩やかな共犯関係でやってきたから、農業を楽しめる立場になったとも言えます。そういうのは、共犯関係を脱したことになりません。

モーガン　その通りです。そういう農業ではなくて、共犯関係を放棄して、本気で農業に取り組むだけの覚悟が必要なのかもしれません。

第三章 日本人の政治観

●ケネディ暗殺はCIAの仕業

編集部　政治について話し合ってみたいと思います。日本人は政治家を「先生」と呼ぶのが慣例になっていて、「偉い人」というイメージがあります。アメリカでは、どうですか。

モーガン　政治家はみんな、「泥棒」です（笑）。政治家は税金泥棒で、政治家の口が動いているときは「嘘」が出てきている、という言いかたがアメリカにはあります。

尊敬というより、「怖い存在」だと思っているはずです。下手に政治家を怒らせてしまうと、その仕返しが怖い。決して、尊敬はしていない。

編集部　日本人は、ジョン・F・ケネディは多くのアメリカ人から尊敬されていたというイメージを持っています。

モーガン　それは、民主党寄りのメディアによってつくられたイメージではないでしょうか。あくまでイメージでしかなくて、私生活はけっこう汚い。女癖が悪くて、不倫もしていました。そういうところは報道されないで、まるで聖人のようなイメージでメディアは伝えました。

父親はバリバリのマフィアで、自分の息子を大統領にするために、マフィアの力も利用しました。その闇世界との繋がりがなければ、ケネディは大統領になることはできなかったはずです。あまり、大きな声では言えませんけどね（笑）。最後は暗殺されてしまいましたけど、あれも不可解です。

編集部　リー・ハーヴェイ・オズワルドの単独犯行という話になっていますが、いまも謎が多いとされています。

モーガン　謎が多いのは事実です。これは私の推測ですが、実行したのはＣＩＡ（アメリカ中央情報局）です。

現下アメリカ大統領選への出馬を表明しているロバート・Ｆ・ケネディ・ジュニアは、ケネディの弟であるロバート・Ｆ・ケネディの息子で、ケネディの甥にあたる人です。彼が、「私の父と伯父を殺したのはＣＩＡだ」と語っています。

編集部　父親であるロバート・Ｆ・ケネディも暗殺されていますね。ふたりを殺したのがＣＩＡだとして、その理由はどこにあったのでしょうか。

モーガン　一九六一年に、「ピッグス湾事件」がありました。在米亡命キューバ人を訓練してキューバに侵攻させ、フィデル・カストロ政権の打倒を謀った事件です。亡命キューバ人部隊はキューバに侵攻したけれど、結局は失敗に終わります。

それは、ケネディが土壇場になってブレーキをかけたからです。結果的に、ＣＩＡの策略をケネディが頓挫させたことになりました。自分たちの邪魔をする存在を、CIAは許しておけなかったわけです。

編集部　ピッグス湾事件は「第一次キューバ危機」と呼ばれるものですが、これが成功してアメリカがキューバを支配下に置いていたら、ソ連がキューバに核ミサイルを持ち込もうとして、アメリカと一触即発の危険な状況になった「第二次キューバ危機」も起きなかったかもしれませんね。

モーガン　なかったと思います。カストロが革命を成功させる前のキューバ政府は、アメリカのマフィアと組んで砂糖の輸出で大儲(もう)けしていました。そのために、一般の国民は酷い搾取をされていた。だからカストロが革命を起こしたのも、一般国民のことを考えれば理解できないこともありません。

しかしCIAにしてみれば、カストロの存在は絶対に許せない。共産主義者ですから。再びキューバをアメリカの属国にするために、彼らは亡命キューバ人を使って侵攻させたわけです。

編集部　それを、ケネディに邪魔された。邪魔者と見立てたCIAによって、ケネディは暗殺されたわけですか。

モーガン　アイルランドから移民してきた家族の一員であるケネディは、カトリック教徒でした。カトリックなので、罪のない人を殺す行為は避けたいと思っていたのではないでしょうか。

●アメリカのディープステート

編集部 ＣＩＡは、かなり大きな戦争を想定していたでしょうからね。それを邪魔されるのは、たとえ大統領でも許さなかった。

モーガン ＣＩＡが誕生したのは一九四七年で、第二次世界大戦で勝利して、アメリカが覇権国化して間もなくのことでした。民主主義をバカげたことだとＣＩＡは考えていて、それを守る気はない。

彼らにとって大事なのは、ＣＩＡが永遠に続くことだけです。政府が代わっても、自分たちだけは変わらない。ＣＩＡこそがアメリカのディープステート（影の政府）だと、私は考えています。

星野 自分たちだけがアメリカのことを考えている存在であり、身内のＣＩＡファミリーだけが良くなればいい――そういうことを考えているのがＣＩＡという組織なのですか。

モーガン 一般国民にとっては、ＣＩＡは敵でしかありません。

星野 そうですか！

モーガン　海外にはＣＩＡを嫌っている人も多いと思いますが、最もＣＩＡを嫌っているのは、私たちアメリカ人です。海外なら、国内で陰謀を働いているＣＩＡが去る日が来るかもしれません。しかし、ＣＩＡがアメリカから去る日は来ません。ＣＩＡによる苦しみから逃れられる日は来ない。

星野　同じ家の住人ですから、よそ者ではない。ＣＩＡにとってもアメリカは自分の家ですから、出ていかないでしょうね。

モーガン　ＦＢＩ（連邦捜査局）も、ＣＩＡと同じく、アメリカ人から嫌われている存在です。

私は伝統的なカトリックですが、カトリック教徒をＦＢＩが監視しつづけているという情報が漏洩(ろうえい)したことがあります。彼らはカトリックのミサに行ったりして、常に監視しています。私たちカトリックを、ＦＢＩはテロリストだと思っているからです。

最近、機密解除されたＦＢＩの資料をダウンロードして読んでいます。昔は、同性愛者のクラブに潜入して情報収集したり、監視を続けていました。それが現在は、同性愛に反対する組織を監視対象にしています。

ＦＢＩが考えを変えたのかといえば、そうではありません。ＦＢＩにとっては、同性愛を認めるか認めないかなど関係ない。ただ自分たちの仕事を増やすために敵をつくっているわけで、ときには同性愛者が敵であり、あるときには反同性愛者が敵になるわけです。

星野　組織の論理ですね。仕事がなくなったら組織を存続させることができないので、組織存続のために敵をつくるしかない。

編集部　組織だけではなくて、国も同じようなものかもしれません。自国の存続のためには、敵を必要としている。

モーガン　アメリカは、ネイティヴ・アメリカンを敵にすることで国をつくりました。そして日本を敵にすることで、国内をまとめて力をつけていった。日本人を敵にしていくプロパガンダが酷くて、政府が出している戦時のポスターなどで日本人をゴキブリやネズミ扱いしていきます。アメリカはモダンな国だと言われていますが、どの国より人種差別が酷い国です。

ナチス・ドイツも同じで、ユダヤ人を差別し、敵にすることで国内をまとめていきました。こんな話があります。

ドイツでユダヤ人の店に押しかけて嫌がらせするナチスの制服を着た一七歳の少年に、店主が「第一次世界大戦で、俺はドイツを守るために命をかけて戦った」と言うと、その少年は「おまえはユダヤ人だから」としか言わない。「ユダヤ人はダメだ」と教え込まれているので、ユダヤ人でもドイツのために戦った歴史を認めようとしないで、無視する。無理やり敵をつくったからです。

ＣＩＡにＦＢＩ、ナチス・ドイツだけでなく、自分たちが存続するためには敵を必要とします。それが政治だ、と私は思います。

●三〇年以上も同じ大統領

編集部　カメルーンの人たちにとって、政治はどのような存在なのでしょうか。
星野　カメルーンにずっと住んでいるわけではないので、ほんとうのところはわかりません。ただカメルーンは大統領制で、しかも僕が生まれたころから現在まで、ポール・ビヤという人が大統領をやっています。
編集部　えっ、ずっと同じ人なんですか。
星野　一九八二年以来、ずっと大統領です。一応、選挙もあったり、ほかに政治家もいますけど、ずっとビヤ大統領です。もう、王様的な存在になっています。
王様みたいな存在ですから、彼のやることに反対したり、大統領を辞めさせようと考える人も、都会ではわかりませんが、田舎にはいないと思います。
それは軍人についても同じで、絶対に逆らってはいけない存在だし、軍人の施設に近づいてもいけないし、もちろん撮影も許されません。不可侵の存在です。

編集部　そうすると、カメルーンでは軍人は威張っているのでしょうか。

星野　そんなに威張っているわけではありません。大きな軍事施設に行くと威張っている軍人がいるかもしれませんが、地方に派遣されているような一般の兵士は威張っていない、というのが僕の印象です。

国民性もあるのかもしれません。二〇一五年に帰ったとき、クルマをチャーターして村から町へ移動したことがあります。移動には、セキュリティをチェックするところがたくさんあって、ライフルを持った兵士が警備していて、身分証明書などを提示させられます。

そのとき母と伯母が一緒だったんですが、ふたりはクルマのなかで音楽を楽しみながらビールを飲んでいて、けっこう酔っ払っていました。酔っ払っているのを咎(とが)められるのではないかと、僕はドキドキでした。紛争の報道映像などで見ている乱暴な兵士のイメージしかないわけです。

ところが母や叔母はケラケラ笑いながら、「身分証？　ビール飲んでるからね、ちょっと待ってよ」という感じなんです。もう自分の息子扱いで、「あんた、この暑いのによく頑張ってるね」とか言ったりしてる。

兵士が怒り出すのではないかと僕はハラハラしていたけど、「ママ、早くしてね」って柔らかく応じてくれた。見ず知らずの人でも、年上の女性には「ママ」、男性には「パパ」と呼びかけて敬う文化がカメルーンにはあります。その兵士の態度にも、年上を敬う気持ちが現れていました。そういう感じなので、田舎に派遣されている兵士は威張ってもいないし、怖がられてもいません。

編集部　四〇年以上も大統領の地位にあるというと、「独裁者なのでは？」と思ってしまいます。独裁だと力で国民を抑えつけているイメージも持ってしまいますが、そういうことはあるのでしょうか。

星野　大統領の顔をプリントしたシャツとか民族衣装が普通に売られていたりします。そういう民族衣装を、若い女性が着ているのを何度か見たことがあります。大統領は国の象徴であって、いわばアイドルのように見えた（笑）。独裁的な恐怖に曝されているわけでありません。もちろん、大統領には畏敬の念は持っています。

編集部　カメルーン国内では政治的な対立はない、ということでしょうか。

星野　そうでもありません。カメルーン国内はフランス語圏が七割を占めていますが、二割か三割がナイジェリアに近い地域で英語圏です。だから、フランス語と英語のふたつが公用語になっています。

フランス語圏がマジョリティで、大統領もフランス語圏出身です。そして閣僚の多くも、フランス語圏出身者で占められています。

そういう特殊性があるので、大統領に対する評価はフランス語圏と英語圏では違うようです。英語圏の人は、現在の大統領は独裁的だと考えていて、自分たちはフランス語圏に比べて損をしていると受け取っているようです。

カメルーンではフランス語圏の人を「フランコフォン」、英語圏の人を「アングロフォン」と呼んでいますが、アングロフォンの人たちは「カメルーンはフランコフォンに支配されているから、アングロフォンだけで独立したい」と言っていると聞いたこともあります。

モーガン　アングロフォンにしてみれば、カメルーンではなくて、同じ英語圏のナイジェリアに属したいと考えても不思議ではないですね。

星野　ナイジェリアはアフリカのなかでも大きいし栄えている国だから、そっちと仲良くしたいという機運が高まっているかもしれません。

モーガン　言葉の違いは大きいので、そういう動きが高まってくるかもしれません。

星野　同じカメルーン人なのに、フランス語圏と英語圏では気質も違っているように感じました。フランス語圏の人たちは、陽気というか、ノンビリしているというか、まったりした人が多い。対して英語圏の人たちは、真面目なエリート気質です。

モーガン　アメリカと同じですね。私のようにルイジアナで育った人は、ノンビリしています。ルイジアナはフランスに支配されていたことがあるので、フランコフォンなのですね。

星野　イギリスの国民性には生真面目さがあるじゃないですか。だから、イギリスをルーツにしているアメリカの人たちは、アングロフォンで生真面目だと思います。

カメルーンでもアングロフォンは生真面目だから、お役所で働くのには英語圏出身者のほうが適性があるように感じます。フランコフォンには、お役所仕事は馴染まないのかもしれません（笑）

●こんなところに気質の違いが

星野　二〇一五年にカメルーンに帰ったとき、フランコフォンとアングロフォンの気質の違いを垣間見る事件がありました。

カメルーンには、日本の「マイナンバー」と同じように、「カメルーンナンバー」という国民番号があります。

僕は日本にずっと住んでいたためカメルーンナンバーを持っていませんでした。それでカメルーンに帰った際、クリビという港町の役所に申請に行きました。

そこには、大勢の人が来ていました。もともとカメルーンには戸籍のようなものはなくて、「あの家の子供」くらいの感覚しかなかった。そこにカメルーンナンバーが導入されたので、大勢の人が手続きに役所に来るわけです。

そこで、六〇歳代くらいのおばさんが職員の若い女性と揉めている場面に出くわしました。必要な書類が足りないから手続きできない、と職員は手続きを拒否している。

それにおばさんは、「いいじゃない、わざわざ遠くから来たのよ。私とあなたの関係で難しいこと言わないで、やってよ」と言ってる。今日会ったばかりで「私とあなたの関係」もないのだけれど、「いいじゃないの。私の顔を見てるでしょ。それでいいじゃない」と食い下がってる。それが、昔ながらのフランコフォンの感覚なのです。

しかし職員の若い女性は、「いや、書類が全部そろっていないと受け付けられません」と頑なに拒否している。近代的な教育を受けた若い人ということもあるけれど、典型的なアングロフォンの態度です。世代の違いも影響していたかもしれませんが。

モーガン　それ、ルイジアナでも同じです。フランス的な感覚を持っている昔ながらの人は、

「別に騙すわけじゃないから、いいじゃない」と普通に思います。私も、その六〇歳代のおばさんと同じ感覚ですね。

星野　おばさんが「朝早くからバスに乗って来ているのに……早く帰って子供たちの世話をしなきゃいけないんだよ」と言っても、「そんなの私には関係ありません。書類がそろっていなければ受け付けられません」の一点張り。おばさんは、「なんだい、この子は」と怒ってる。それが延々続いているので、手続きの順番を待っている人で長い行列が出来てしまっている。

その列に僕は母と一緒に並んでいて、「これは困ったな」と思っていました。そうしたら役所の偉い人が通りがかって、その人が、たまたま母と知り合いだったんです。母は顔の広い人だったので、偉い人にも知り合いがたくさんいたりします。

その偉い人が係の人に「この人たちを先にやってくれ」と言ってくれて、順番を飛ばして早く手続きをしてもらうことができました。

編集部　それは、良くない話ですね（笑）

星野　良くないことですが、昔ながらのフランコフォンには、そういう気質があるということです（笑）

●政治は必要なのか

編集部　人と人との繋がりで成り立っているカメルーンの田舎社会では、政治は必要とされているのでしょうか。

星野　政治が必要なのかどうか、田舎の人たちは判断できないと思います。

たとえば政治の役割のひとつとして、自然保護があります。カメルーンの人たちが昔ながらの方法で動物を獲っていたら問題ないのでしょうが、いまはライフルなどを普通に使って、自分たちで食べる量以上の数を殺しています。獲物を売って商売をするようになったためです。だから、動物の数が減りすぎて保護しなければならない状況になってしまいました。

しかし、どれくらい動物が減ってしまっているのか、田舎の人にはわかりません。いろいろな調査によって状況を把握できる政府は、動物が激減していることを知っているので、自分たちで食べる量以上を獲ることを禁じることになります。

禁じられたほうは、減っていることを知らないので、「自分たちの庭にいる動物をどうしようが勝手だろう」ということになる。政治の介入を、余計なものとしてしか受け取りません。

編集部　そうすると、政治の介入は必要ないという人が、カメルーンでは多数を占めているのでしょうか。

星野　そうでもありません。政府の介入で獲る動物の数を制限されて怒っている人もいれば、「政府の言うことはもっともだ」と受け取る人もいます。

政府の要請に耳を貸さず、動物を無制限に獲ってしまって、生活の質が下がってしまった村もあります。政府の要請に耳を貸して、自分たちが消費する分だけを獲って、空いた時間を利用して畑作をして作物を売ることでバランスの取れた生活をしている村もあります。その両方を観察して、自分たちでは見えない、上の人でないと見えないこともあると理解できる人は、政治の必要性も感じているはずです。

編集部　星野さん自身は、政治は必要だと思いますか。日本のように政治によって規律ばかりが強まってくると、昔ながらの、カメルーンのような人と人との関係が希薄になっていくのではないでしょうか。

星野　政治は、人にとっての道具のひとつでしかありません。大所高所から観察してコントロールするしかないことがある以上、政治は必要だと言わざるを得ません。しかし、大所高所からでは見えないものがあるのも事実です。だから、道具は使いようだと思います。

先ほどのカメルーンナンバーの申請手続きをするために行った役所で目撃したシーンで言え

ば、「堅いこと言わなくてもいいじゃない」というおばさんの言い分が通る社会は、人と人との繋がりが重視される良い社会のように思えるかもしれません。しかし一方で、そういうことがまかり通る社会は、不正が頻繁に起きる可能性もあります。政治で決められたルールが重視される社会なら、人間味には欠けるかもしれないけれど、不正は起きにくいと言えます。どちらにも長所はあるし、欠点もある。だから、使いようです。

編集部　カメルーンの田舎の村のように政治を気にしない暮らしがいいのか、日本のように政治で厳しく規制されたなかで暮らすのがいいのか、迷ってしまいます。

星野　カメルーンの人たちも、豊かになりたいと思っていることは間違いありません。日本やアメリカのように、誰もがクルマを持っていて、電化製品に囲まれた生活に憧れています。

そういう生活を実現するためには、強い政治機構が必要になります。大所高所から観察して、税金を集めて、必要なところに投入していく政治が機能していないと、そういう豊かな生活を実現できないのが現実です。

編集部　そういう豊かな社会に住んでいても、便利な都会を離れて不便な田舎で暮らしたいという人が増えてもいます。モーガンさんも、そのひとりですよね（笑）

星野　経験してみなければわからないことです。僕がカメルーンに帰ったときも、現地の子供たちに「日本はなんでもあっていいな」と言われました。クルマに食べ物に愛、この世のあらゆるポジティヴなものが溢れている楽園だと思っている。

それに対して僕は、「君たちはお父さんやお母さんと長い時間を一緒に過ごせて、兄弟もたくさんいる、学習塾にまで行かされて勉強に追いまくられることもない、まわりには自然もいっぱいある。カメルーンのほうがいい」と答えたものです。その子たちは、自分が持っているものの素晴らしさに気づいていない。エスカレーターやエレベーターがないから不幸だと思っているけれど、それを備えるために日本でどれだけの負担が課せられているか、そこまで知らないし、想像さえできない。良いところだけしか見えない。

編集部　それは、日本でも同じですね。さっき言った都会を離れて田舎に住みたいという人も、田舎の良いところしか見えていないのかもしれません。

星野　東京のような都会に住みたいと言っている田舎の日本の友だちは、けっこう多いです。僕は、のんびりと田舎で暮らしたい。原稿はインターネットで送って、豊かな人間らしい生活を楽しむ。でも、それも良いところしか見ていないから言えることなのかもしれません（笑）

編集部　美術展だってコンサートだって、やっぱり都会にいるほうが行ける機会は多いですしね。

モーガン　美術展は大きなポイントですね。田舎暮らしだと、なかなか機会がないかもしれません。田舎暮らしはしたいけど、美術展だけは欲しい（笑）

星野　カメルーンの田舎の村に住んでいる人に「自然に囲まれて、あなたは幸せだ」と言ったら、「何を言っているんだ」と怒られる。「おまえは飛行機で日本からやってきて上から目線で言っているだけだ。おまえはカメルーンか日本の暮らしか選べるだろうが、オレはここから出られないんだ」と言われてしまうかもしれない。

モーガン　そういうふうに言われたら、返す言葉がない。

編集部　都市部に住んでいる人は、「田舎のひなびた食堂がいい」と言うけれど、地元の人は「あんな汚い店は嫌だ、清潔なファミリーレストランがいい」と言う。商売的には日常的に利用する地元の人を優先するから、ファミリーレストランが進出する。その結果、日本全国、同じチェーンのファミリーレストランだらけになっています。

モーガン　アメリカも同じです。どこに行っても、マクドナルドだらけです。アメリカは広いから、いろいろな人たちが住んでいます。そういう知らないところの食堂に行くと、何を出されるかわからないし、法外な値段を突きつけられるかもしれない。そういう不安があります。マクドナルドなら、同じ品質で、同じ値段じゃないですか。その分だけ、安心感はあります。

アメリカは広すぎるし、いろいろな人がいて、共通するものがない。それでも共通するものが必要です。国が成り立たないからです。それで無理やりつくりあげる。それがマクドナルド、そしてアメリカンフットボールです。

●愛国心について

編集部　多様な人種、民族が集まってきているアメリカは、「メルティング・ポット（人種のるつぼ）」と言われます。放っておくとまとまりがなくなるので、「愛国心」を強調しないと束ねられない、という話を聞いたことがあります。

モーガン　アメリカというのは、すぐバラバラになってしまう可能性を秘めています。アメリカが世界で力を誇示できなくなる、軍隊が負けっぱなしになると、すぐに多くの人がアメリカから離れていってしまうでしょう。

編集部　日本は天皇陛下の下に国民がまとまっていますが、天皇陛下のような象徴、つまりシンボルがアメリカにはない、ということでしょうか。

モーガン　その通りです。しかし私の考えでは、天皇陛下はシンボルだとは思いません。シンボルにさせたのはワシントンで、自分たちの考えを日本に押しつけただけです。「政治神話がないと国は成り立たない」という自分たちの常識を、戦争で叩きつぶした日本に押しつけたのです。他方、アメリカには天皇陛下は当然おられないので、国民に無理やり「愛国心」を押しつけて、まとめるしかないわけです。

編集部　アメリカは「ユナイテッド・ステイツ＝合衆国」ですが、すぐに「ユナイテッド＝連合」ではなくなって、それぞれの「ステイツ＝州」になってしまうということですか。

モーガン　アメリカ人が信号で必ず止まるのは、政府が怖いからです。どこかに警察がいて、信号無視すれば捕まってしまいます。中国では、信号なんて無視です。

すぐに警察に捕まる、この「恐怖心」で、アメリカは無理やり国民を束ねています。この一〇年あまり、アメリカで的を射た政治的な意見を言えば、職場から追放されて、オンラインなどで嫌がらせを受けてしまいます。そういう傾向が日々強くなっています。その結果、トランプという、私たちがほんとうに考えていることを代わりに言ってくれる人が台頭したのです。

ただトランプは、連邦政府からどういう扱いを受けているか、一目瞭然です。それを見た良識ある国民の政府に対する不信感、恐怖感がさらに増長されています。アメリカは完全に警察国家、ファシズム国家になってしまった。それが事実です。そういう政府は必要ない、と私は思っています。

編集部　アメリカは「フェデラル・ステイツ＝州の連邦国家」なわけで、それをまとめていくには連邦政府が必要ではないのですか。

モーガン　州レベル、村レベルの小さい政府でいいはずです。かしこまった連邦政府にするから、厳しく国民を取り締まって、無理にまとめるしかない。そういうなかで、人間同士の触れあいや信頼感は失われてきていると思います。

アメリカが連邦共和国ではなくなってしまってから久しい。もうワシントン独裁の警察国家です。各州が一刻も早くそれから離脱すればいいと思います。

そもそも、アメリカは州がバラバラという感じでした。各州をひとつの連邦政府の下で束ねることが非常に不自然です。アメリカでは、ほかの州に行くと、もう外国という感じです。南部ルイジアナ州から北部ウィスコンシン州に行ったら、話しかたも違うし、文化も違う、法律も違います。完全な外国です。

そういう州を、無理やりひとつにする必要はないはずです。無理をするから、厳しく取り締まることになってしまう。それから神話的な愛国心――即ち、連邦政府のプロパガンダを鵜呑みにすることにすぎませんが――が脳味噌に刷り込まれます。

編集部　むしろ、隣の州は外国と思うほうが、生活感覚としても自然だし、うまくいくのかもしれません。

モーガン　私はルイジアナは愛していますが、ワシントン（アメリカの連邦政府）も愛しているかと言えば、そうではない。ワシントンは税金という大義名分で私たちの大切なおカネを奪っている存在で、その使い途の詳しいところは私たちにはわからない。ワシントンは税金のブラックホールです。だから、ワシントンは大嫌いです。

星野　アメリカ人は星条旗に忠誠心を持っているイメージがありますが、星条旗とワシントンは同じではないのでしょうか。

モーガン　ごちゃごちゃですかね。同じに受け取るときもあれば、そうでないときもあります。

星条旗に対する忠誠心は、兵士だったときの思い出と重なっている場合が多いのではないかと思います。私の祖父も、星条旗を見るたびに涙ぐんでいました。国歌が流れると立ち上がって、星条旗に向かって敬礼します。

あれは、ワシントンが好きだからではなく、死んだ戦友のことを思ったり、戦争で辛い経験をしたけれど生き残ったという感慨、そういう複雑な思いからではないでしょうか。ワシントンが好きだからという理由ではない。祖父もワシントンのことを批判していたし、たぶん嫌いだったと思います。

ワシントンが勝手に我々の星条旗を使っている、と考えていたかもしれません。ワシントンに星条旗を掲げる資格はない、と思うアメリカ人は大勢いると思います。

星野　星条旗ではなくて、ワシントンだけの旗をつくれ、ということですね。

モーガン　そうです。それは、ドクロマークの海賊旗がふさわしいかもしれない。

星野　おカネをくわえたドクロですかね（笑）

モーガン　わかりやすい。それが、いちばんワシントンを表しています。それを持たせて、星条旗を使うな、私たちの星条旗を汚すな、と言ってやりたい。

編集部　ただ、アメリカの大統領選の報道を見ていると、日本人からすれば異様な盛りあがりに映ります。大統領選に向けて、国中がまとまっているように見えてしまう。

モーガン　政治との関わりが薄い、連邦政府が自分たちにとって遠い存在だからこそ盛りあがるのかもしれません。大統領になるかもしれない人が自分たちの地域に来てくれて、自分たちの声を聞いてくれるかもしれない、と思うから熱狂してしまう。つまり、変な距離感がつくりあげる熱狂なのです。

しかし、その人が大統領になったとしても、そのあとは自分たちの地域には来てくれません。声も聞いてもくれません。そこにまた新たに変な距離感が生じて、次の選挙で熱狂するというわけです。この悪循環が大統領というセレブリティをつくりあげたのです。

星野　それに、盛りあがった人たちも文句を言うでもなく、シーンと黙り込んでしまう。

モーガン　だから、選挙戦での盛りあがりはパフォーマンスでしかないし、サーカスレベルです。選挙で盛りあがるから民主主義だと捉えると、大きな間違いです。

星野　大統領選のときの熱量を一年中維持できませんよね。毎日、ウワーッなんて、やってられない。

編集部　日本も同じかもしれません。盛りあがるのは選挙戦のときだけで、終われば政治家も、そのほとんどが有権者に話しかけないし、それを有権者も求めません。

モーガン　選挙と言えば、ちょっと思いだしたことがあります。選挙になると、ポスターを貼る大きな掲示板が設置されますよね。

私が不思議に思ったのは、そのポスターに誰もイタズラをしないことです。立候補者の顔にメガネやヒゲを描く人が誰もいない。

編集部　それは、罰せられるからですよ。法律で厳しく禁じられていて、やったら警察に捕まります。

星野　でも、それを学校でも習った記憶がない。子供だったらイタズラするような気がしますけど、「やってはいけない」と教えられた記憶がありません。

モーガン　子供ならわかりますけど、大人もやらない。不思議というか、日本人は〝大人〟だなと思います。アメリカの場合、自分が支持している立候補者のサインを自分のうちの前の芝生に置く人が多いのですが、その立候補者を嫌っている人がそこを通りすぎる際、サインを奪ったり、サインを踏みつぶしたりすることが少なくありません。日本では、そういうことをほとんど聞いたことがありません。不思議です。

編集部　それくらい選挙に無関心だ、ということかもしれません。

モーガン　無関心か……そうなのか。そうか、そうか、なるほどね。

アメリカ人は
星条旗に忠誠心を
持っている
イメージが
ありますが
星条旗とワシントン
は同じではない
のでしょうか

ごちゃごちゃですかね
同じに受け取るときもあれば
そうでないときもあります

星条旗に
対する忠誠心は
兵士だったときの
思い出と重なっている
場合が多いのでは
ないかと思います

私の祖父も
星条旗を見るたびに
涙ぐんでいました
国歌が流れると
立ち上がって
星条旗に
向かって
敬礼します

あれは
ワシントンが
好きだからでは
なく死んだ戦友
のことを思ったり
戦争で辛い
経験をしたけれど
生き残った
という感慨
そういう複雑な
思いからでは
ないでしょうか

ワシントンが
好きだからという
理由ではない
祖父も
ワシントンのことを
批判していたし
たぶん嫌い
だったと思います

ワシントンが
勝手に我々の
星条旗を使って
いると考えていた
かもしれません

ワシントンに
星条旗を掲げる
資格はないと思う
アメリカ人は
大勢いると思います

星条旗ではなくて
ワシントンの
旗をつくれ
ということですね

そうです。それは
ドクロマークの
海賊旗が
ふさわしいかも
しれない
おわっ

お金をくわえた
ドクロとか
ですかね……？
ドド

●日本人と税金

編集部　日本における国民負担率は、二〇二三年度で四六・八パーセントと言われています。国民負担率とは、国民や企業が所得のなかからどれだけ税金や社会保険料を払っているかを示す割合です。これは「いつ暴動が起きてもおかしくないレベル」だそうですが、日本ではデモも起きません。大人しいというか、政治的なことに無関心だからではないでしょうか。

モーガン　税金は高い。私の財布も泣いています。

年金改革をめぐって、二〇二三年にもフランスでは大規模なデモが起きました。そういうデモが日本では起きないのが、とても不思議です。

私だったら、すぐ革命です。岸田文雄首相に不満を感じたら、革命を起こすしかありません。食事のときにテレビの報道を見ていると、不満なことがたくさんあります。そのたびに私は、「革命だ」と叫んでいます。それに妻は、「またか」とあきれていますけどね（笑）

しかし、おかしなことがあっても、「革命だ」と叫ぶ日本人はいませんね。

編集部　二〇二三年八月三一日に百貨店大手の「そごう・西武」の労働組合が、売却問題でストライキに突入しました。大規模百貨店でのストライキは一九六二年の阪神百貨店以来ということで、まるで珍しいものを見るような受け取りかたしかされませんでした。それくらい日本ではストライキは少ない。いまの日本人は不満を持っても行動で示すことは少ないのです。

モーガン　凄いですね。日本人は我慢する民族なのでしょうか。

編集部　かつては、日本でも多発していましたよ。大人しくなったというか、大人しくさせられたと言ったほうがいいかもしれません。

星野　大人しくさせられた、という表現が正しいと思います。ストライキをやる発想すら、いまの日本人は失っている気がします。納得できないから国会議事堂に抗議に行くぞ、なんて発想はありませんよね。

編集部　ありませんね。すぐ、諦めます。

星野　選択肢はあるけど我慢する、ではない。そもそも、抗議するという発想がない人が多い。税金も払えと言われれば、不満は口にするけど、大人しく払います。

あと、お店で値引き交渉する習慣が、日本にはない印象です。値札に書かれている値段で買うものだと信じて疑わない。

学校でも、決められたことは全部やらなければいけないと疑わない。テストで点数を取れと言われたら、取るために頑張る。「なぜだ?」なんてことは発想しない。

編集部　靴下も白と校則にあれば、黙って従う。「なぜ白でなければダメなのか？」と、誰も抗議しない。

星野　子供のころ、凄く不満に思っていたことがあります。数学の時間に先生が新しい公式を黒板に書いて「これを覚えてください」と言うと、みんながいっせいに覚えはじめる。あの光景が、異様で仕方ありませんでした。

僕の脳味噌にも空きスペースはあるので、覚えろと言われれば覚えられますが、その公式を人生のどんな場面で活かすために覚えるのかが説明されないまま、丸暗記することには抵抗がありました。「覚えろ」の前に、先生には僕たちが公式を覚える意義を説明してほしかったな、と思ったものです。

モーガン　それは、アメリカでも同じです。肝心な説明を充分にしてくれない。

私も、とくに数学の時間に何回も星野さんと同じ経験をしたことがあります。公式は一体、なぜ成り立つのか、まったく理解していないまま、しかもどんなに説明を先生に求めても、回答してくれないまま、「暗記しろ」と言われるわけです。まったく納得できない状態なのでモーガンの脳味噌は稼働しません。

星野　納得したものは脳味噌にインプットしやすいけれど、そうでないものはインプットに苦労するし、すぐ忘れる。僕がおかしいのかな、とも思いました。ほかの人は、文句も言わないで一生懸命覚えて、テストでは覚えたそのままに書いている。

次から次へとベルトコンベアで流れてくるように覚えなければならないことが出てきて、文句も言わずに覚えている。「意味がわかって覚えているのかな?」と不思議に思っていました。日本人は素直というか、従順みたいですね。

新型コロナのときにも、「ワクチンを接種しろ」と政府から言われたら、大部分の日本人は素直に注射しに行きます。急ごしらえのワクチンを、何も考えないで自分の身体に入れて平気なのかな、と僕は思います。もっと自分の頭で考えて、自分で判断しようよ、と思ってしまいます。

編集部　政府は「安全だ」と言っているけれど、ほんとうに安全かどうかはわかっていませんからね。

星野　よくわかっていないですよね。にもかかわらず、「言われたから接種する」というのは、公式を覚えろと言われて素直に覚えるのと同じにしか思えません。

モーガン　オレオレ詐欺も、日本人の素直な性格が見事に利用されているのかもしれません。先日、日本に住みはじめて数年で、日本語も話せて日本をリスペクトしている若いアメリカ人とランチしたのですが、「オレオレ詐欺は不思議だ」ということで、ふたりの意見が一致しました。

わけのわからない電話がかかってきて「おカネを振り込め」と言われて、何の疑問も持たずに振り込んでしまうお爺さんやお婆さんがいる。テネシー州だったら、お婆さんでもショットガンを持ち出してきて、電話かけてきたヤツに向けてドンですよ、って（笑）。アメリカなら、とても成立しない詐欺です。

編集部　孫とか名乗って、会社のカネを使い込んで返済しなければならないから、すぐ一〇〇万円振り込んでくれ、などと電話をしてくるのです。それに、「これは大変だ」と銀行に走る。

モーガン　人が善すぎますね。先ほどの若いアメリカ人と意見が一致したのは、日本人は他人を疑わないで、すぐに信じてしまう、ということでした。

編集部　先ほど星野さんから指摘があった疑問も持たずに公式を覚えるという素直さが、そのまま現れていると言えますね。

星野　家庭の教育も同じです。先生とか社会を疑え、とは教えない。先生の言うことには従いなさい、としか教えません。そうやって育った子たちが、親になって自分の子に同じように教える。そういう環境下で育ってきたのが日本人だから、モーガンさんが言ったような「革命だ！」なんて叫ぶはずがない。

編集部　革命を政治的な言葉だとも理解できなくなっているのではないでしょうか。ファッション革命といったニュアンスでしか理解していないかもしれません。

星野　政治的な行為だとわかっていたとしても、それは「中世」の人たちがやったとんでもないこと、くらいの理解かもしれません。

モーガン　中世の、ですか。なるほど、昔々のことで、自分たちにはまったく関係のないものでしかないわけですね。

編集部　日本は天皇陛下がいらして、幕府のような政府があって、そして一般庶民がいる、という構造でずっとやってきています。だから、ひっくり返そうという発想に乏しいのではないでしょうか。

　革命までいかないけれど、戦後ほとんどずっと自民党政権でやってきたところに民主党が政権を取って、ひっくり返すようなことになりました。しかし結果は、ただグチャグチャになっただけでした。そういう失望感もあって、ひっくり返すことにも政治にも関心が薄れているのかもしれません。

星野　民主党政権でグチャグチャになったけれど、「もう少し待ってあげても良かった」という気持ちが僕にはあります。

民主党政権が誕生したのは二〇〇九年九月で、政権の座にあったのは三年あまりでした。三年くらいで、社会を変えるなんて無理だと思いませんか。

編集部　二〇一一年三月一一日に発生した東日本大震災によって福島第一原子力発電所で発生した事故への対応が、民主党の命取りだったと思います。

当時の枝野幸男・内閣官房長官は事故発生直後から、放射性物質の健康への影響について、「直ちに人体に影響を及ぼす数値ではない」と言いつづけていたけれど、そのとき、すでにメルトダウンが起きていました。その事実を隠していたわけで、それを知った国民は、「民主党は信用できない」となった。

星野　それで、すぐに自民党政権に戻ってしまうのですが、「早すぎるな」と僕は思いました。たしかに民主党政権は失敗したかもしれないけれど、自民党はもっと多くの失敗をしているじゃないですか。それなのに、ちょっと失敗した民主党を捨てて、たくさん失敗しているはずの自民党の政権に、日本の国民は戻してしまった。

編集部　慣れた自民党政権のほうが安心だ、と日本人は考えたのかもしれません。自民党以外に政権を任せるなんて、慣れないことはしないほうがいい、と無意識に考えたのではないかと思います。

星野　アメリカ人が銃を手放さないのは、おかしな連中が政府を牛耳るようになったら、自分たちの力で政府を変えてやるという気持ちがあるからではないでしょうか。そういう発想は日本人にはあまりない。

モーガン　その通りです。とんでもない連中が政府を牛耳るようになれば、自分たちは奴隷になってしまうのです。それは、自分たちの力で止める。まさに、そのシナリオが現実になったのですね。

星野　日本人は、そう考えません。それよりも日本人は、一般人が銃を持っていたら怖い、という考えが先に来るようです。政府関係の警察とか自衛隊が銃を持っているのは気にしないけれど、一般人が銃を持っていたら良くない、と考えている。

モーガン　アメリカで銃を持ちたいといちばん強く考えたのは、じつは黒人でした。白人至上主義を唱える秘密結社のＫＫＫが襲ってくるから、自衛のために銃を持つという発想からです。黒人だけでなく、自分の家族や大事なものは自分の力で守るというのがアメリカ人の発想です。みんなが銃を持っていると安全安心、という発想です。

アメリカでも南部では、「中央政府のヤツらがオレたちの村に入ってきたら、あいつらの死体を薪のように重ねてやる」という言いかたをします。悪い連邦政府に自分たちの村に手出しをさせない、という考えかたがあります。それくらい、連邦政府が嫌いです。

星野　でも、税金は払っていますよね。

モーガン　払います。それは、刑務所に入りたくないからです。できれば、税金も払いたくないと考えています。でも、自分よりも、政府のほうがはるかに多く銃を持っていて、軍隊も従えているので、その権力に屈服するしかないケースが多くあります。

編集部　日本のサラリーマンは、源泉徴収で自動的に税金を徴収されてしまいます。いくら取られているのか把握していないし、それでも平気なのが日本人です。アメリカの場合は、国民全員が自分で申告して、税金を払うシステムですよね。

モーガン　そうです。もう一五年ほど前になりますけど、アメリカで大学の講師をしていました。そのときの年収が、日本円にして一〇〇万円くらい。確定申告すれば還付金のある額ですけど、還付金をもらうのは、ほかの人の税金を私がもらうようなものだから、還付金は必要ないという確定申告をしました。

そうしたら税務署から連絡があって、確定申告の内容が間違えているから再提出しろ、というのです。電話して、「還付金はいらない。それは寄付する」と言ったのだけれど受け付けてもらえませんでした。還付金をもらえる内容にしないと罰金を科すことになる、と言われました。「刑務所にも入って二〇年間服役する場合もあるぜ」という書簡も来ましたよ。

星野　僕が好きな『ザ・シンプソンズ』というアニメがあって、その主人公であるホーマー・シンプソンが、確定申告提出締め切りギリギリになって、大慌てでポストに投函するシーンがありました。アメリカでは、あんな工場で働いている普通のおじさんで、しかも怠け者のホーマーまでが確定申告するのかと驚いて見ていました。

編集部　ホーマーが働いていたのは、工場ではなくて原子力発電所ではないですか。原子力発電所で燃料棒をいい加減に扱っていて、危なっかしくてしょうがない人物ですよね。

星野　そうだ、原発でした。あんなデタラメで無茶苦茶に描かれているおじさんも、確定申告をやっている。しかも、政府を怖れて、罰せられないために必死にやっている。

モーガン　いま私は日本に住んでいますが、それでも毎年、アメリカに確定申告を提出しています。

編集部　日本では源泉徴収されるので、自分が税金をいくら払っているのか把握していないサラリーマンがいっぱいいます。給与明細をもらっても、内容を見ないで捨てる人までいます。

モーガン　エーッ、とても信じられない。

●日本共産党について

編集部　日本共産党は、日本では公に認められた政党です。知り合いの作家さんが、それを東欧の人たちに話したところ、驚かれたそうです。おふたりは、どう考えていますか。

モーガン　共産党が堂々と活動しているのを、日本に来て初めて知りました。
　私のイメージでは、共産党はタリバンのような国際テロ組織です。日本共産党からときどき、私のポストにチラシなどが届きます。それを受けるたびに、共産党の事務所まで電話しようと思います。「もう二度と、テロ組織からチラシを受けたくない、あなたたちのように非人道的なことばかりやっている組織と一切関わりたくないから、私のポストに何も入れないでくれ」と本気で言いたくなります。
　しかも、日本共産党が堂々と活動しているのは、ワシントンのせいだと考えると、さらに腹が立って、まさに革命を起こしたくなります。この美しい国には、日本共産党というテロ組織はまったく必要ありません。

編集部　「暴力革命」を正式な方針としたことはない、と日本共産党は述べています。ただ、「暴力革命の方針を堅持している」という警察庁などの見かたがあるのも事実です。

モーガン　二〇二三年三月に、日本共産党の志位和夫委員長の退陣と党首公選制導入を著書で提言した党員を除名したことが話題になりました。志位委員長が独裁的な力を持っていて、それに逆らえば除名されるなんて、まるで暴力団の体質そのものじゃないですか。「日本人はよくそのような組織が存在しているのを我慢しているな」と思います。

かつて、治安維持法という法律があって、共産主義者がたくさん検挙されたのですが、それは素晴らしいことだと思います。普通に考えれば、テロリストは逮捕すべきです。日本共産党はほんとうの顔を滅多に見せないで、ずる賢いですね。

アメリカのコミュニスト（共産主義者）は、アメリカという国を亡くして、キャピタリスト（資本主義者）を皆殺しにすると普通に言っています。彼らは恐ろしい存在です。

ただ日本共産党の場合、党員にお爺さん、お婆さんが多くて、「交差点の安全を守りましょう」とか言っている。アメリカのコミュニストとは違うな、と感じています。日本共産党の党員は、頭がいいです。ほんとうは天皇陛下を亡き者にして、日本の國體（こくたい）を暴力でもって変えて、日本を共産主義の国にしたいという本音を、「交通安全が大事です」というスローガンで隠しているのです。

星野　共産主義的な思想と共産党とは、分けて考える必要があると思います。資本主義社会にも、共産主義的な思想は反映されているからです。

税金で集めたおカネを福祉で貧しい人に配るのは、ある意味で共産主義的な考えかただと思います。国民皆保険も、あれも病気になったら支援してもらえる制度で、考えかたによっては共産主義的な発想です。

モーガン　たしかに、「助け合い」は共産主義的な考えかたかもしれません。しかしそれは、人間みんなに共通している側面、人間らしさそのものとも言えると思います。一方、共産主義は、友愛、みんなのための福祉などといった甘言を隠れ蓑にして、政治的な目標を追求しているのです。

星野　共産主義は「平等」を目指していると言われていますが、平等のほうがいいじゃないですか。平等がいい、ってカメルーンの人たちも言いますよ。ひとりだけがリッチになるより、獲物の肉はみんなで分け合ったほうがいいし、そうしています。そういう考えに共感する人は多いはずです。

モーガン　私も共感できますが、平等はあくまで理想で、この世では実現できないことだと思います。無理やりみんなを平等にしようとすれば、北朝鮮、中国、昔のソ連ができます。つまり、みんな平等に貧しくて、みんな平等に政府に虐殺されます。平等ではない唯一のグループは、中央政府を牛耳っている共産党のエリートたちです。

星野　共産党も、もともとは、「平等という理念」に共感した人が集まったのだと思います。一部の人が富を独占するのではなくて、「みんなでシェアしようぜ」というのが共産主義の根幹だったはずです。それを実現しようとしたら、既得権益を得ている側から妨害される。だから「ぶっ殺せ」になってしまった。

モーガン　殺せとか、暴力で目的を達成しようとする発想がおかしい。

星野　そうです。考えかたは異常ではないのだけど、早く達成するために邪魔者は殺してしまえ、という発想はおかしい。

ただ、平等は日本のマインドとしては受け入れやすいはずです。アメリカでは、企業での報酬はトップと末端では天と地ほども違います。けれども日本の場合は、そこまで差は大きくありません。そこには、平等を大事にする日本人的な考えかたがあるからだと思います。

世界で共産党が批判されるのは、暴力の問題もあるけれど、党のトップだけが絢爛(けんらん)豪華な暮らしをしているのがバレたからです。共産主義的な考えに反することを、やってしまっている共産党が多いから、批判される。

モーガン　私の考えでは、それは共産主義だけではなく、全世界の政府が同じです。トップを目指す人間は危険な存在だと思います。とくに共産党は明らかに危険で、暴力革命を唱えています。他方アメリカ政府は資本主義ですが、トップを目指す人間はやはり危険です。政治家は全員、信頼してはなりません。

日本で共産党が平気で活動できているのは、恐らく日本人がそもそも政府を危険なものだと思っておらず、信頼しているからではないでしょうか。

第四章　幸せについて

●いつもと変わらず、おにぎりは美味しい

編集部　幸せについて話し合ってみたいのですが、どこに日本人は幸せを感じていると思いますか。

星野　幸せを感じる最小限のところ、つまり閾値が高すぎる気がします。「幸せだ」と思うまでの、ハードルが高すぎる。

僕は好きな漫画を好きなときに描ける状態であれば、幸せです。とりあえず家があって、好きなときに漫画を描いて、ときには映画を見たり、ゲームを楽しんだり。それだけで、幸せです。それ以外のことは、ラーメンのトッピングみたいなものだから、あってもなくてもいい。

日本人は、かなりのおカネを稼げる企業に勤めて、結婚もして、子供もいて、健康で、さらに親戚付きあいもうまくいっていてとか、全部がそろっていないと幸せだと思えないのではないでしょうか。

編集部　幸せになるための条件が多いということですか。

星野　メチャクチャ多い。多すぎると思います。だから、加点主義ではなくて、減点主義なのです。これがあるから幸せだ、ではない。これがないから幸せではない、となる。いろんなも

のを持っているのに、たったひとつ足りないだけで、「幸せじゃない」と言っている気がします。

編集部　たしかに、日本人は減点主義ですね。家族に恵まれて仕事もあるのに、学歴がないことで不幸だと思ったりしています。

星野　アフリカの田舎を知っている身としては、世界で一〇位以内に入る経済規模があれば、その発展過程で、日本はいろいろなものを手に入れてきているように思える。経済の世界ランキングが少しばかり下がったとしても、まだまだ幸せに余裕があると思います。

編集部　かつてGDP（国内総生産）で中国に抜かれたといって、日本は大騒ぎになりました。

星野　「もう終わりだ」とか、隕石が地球にぶつかって地球がなくなるくらいに騒いでいましたよね（笑）。僕に言わせれば、ぜんぜん終わってなんかいない。中国に抜かれたといっても、まだ世界で第三位ですよ。いまはドイツにも抜かれて四位みたいですけど。

編集部　世界で一位にならないと幸せではない、と考えている側面があるのかもしれない。

星野　一位だけが幸せなのかな。一位でなければ幸せでないのなら、世界中どの国も不幸だということになります。

日本は治安が良くて安全だし、水もきれいだし、義務教育で勉強もできるし、衣食住にしても贅沢を言わなければなんとかなる。そんな日本に暮らしているだけで、もう幸せじゃないですか。

ＧＤＰで中国に抜かれたからといって、日本人が死に追いやられるわけではない。ＧＤＰで三位になったところで、いつもと変わらず、おにぎりは美味しく食べられます（笑）

編集部　おにぎりの美味しさは変わらない、というのはいいですね。中国に抜かれたとたんに、おにぎりが泥団子に変わってしまったように日本人は思ってしまったのかもしれません。

星野　「日本民族は優秀だ」という優越感を幸福の糧にしていた日本人は多いのかもしれません。

日本人がノーベル賞をもらうと、「日本人は凄い」となるじゃないですか。まるで、日本人全員が偉くなったように錯覚するのかもしれません。しかし、ノーベル賞をもらったのは個人であって、日本人全員、ましてや、受賞者とは赤の他人のあなたがもらったわけでもない。アメリカ人でもノーベル賞をもらう人はいるし、アフリカにもノーベル賞をもらった人は何人もいます。

日本人に限ったことではありませんが、「自分たちは優れている」という実感が人々を高揚させるのでしょう。そして日本ではその優越性は幸福感にかなり寄与していたのだと思います。一番でなければ幸せだとは思えない。一番でいることが当たり前で、そこから少しでも下がると不幸に感じる日本人が多い気がします。

●土壁の家での暮らし

編集部　カメルーンは自然も豊かだし、親戚が近くにたくさんいて仲良くしている。そういう暮らしを、カメルーンの人たちは幸せだと思っているのでしょうか。

星野　僕が知っているのは、カメルーンでも田舎です。僕が話すカメルーンのことは、基本的に田舎のことだと思ってください。

田舎では、自然のなかで、親戚が仲良く暮らしています。そういう生活を幸せだと思っているかどうかといえば、必ずしも幸せだとは受け取っていないと思います。

自分たちは取り残されていると感じていると思います。ヨーロッパや日本などのきらびやかな暮らしの情報は入ってきますから、そういったところと比べて、とんでもない差を開けられていると思っている。しかも、自分が生きている間はおろか、子供や孫の代になっても差は縮められない、とも思っています。

日本から行った僕から見ると、カメルーンの田舎には幸せの源泉はたくさんあります。でも、実際に住んでいる人たちは、幸せだと思っていない。ヨーロッパや日本に追いつきたいと思っているし、フランスや日本で暮らしているカメルーン人と同じような豊かな生活をしたいと考えているはずです。

鉄筋コンクリートの日本のマンションとか、アメリカのプール付き住宅の写真を見てから、自分たちの家の、穴が空いて蜂の巣があるような土壁を見ると、「うーん」と考え込むしかありません。考え込んでも、どうすることもできないのも現実です。

モーガン なるほどね。マンションより土壁の家の暮らしのほうが幸せですよ、と言ってみたところで、納得できないでしょうね。

星野 一瞬で日本での生活に飛べる薬があって、それで日本の生活を体験したカメルーン人がいたとします。そのカメルーン人に「別の薬を飲めば一瞬でカメルーンの生活に戻れますよ」と言っても、絶対に飲まないはずです。

編集部 日本の田舎も、以前は何もなかった。それが、いまやコンビニもファミリーレストランも都会と同じように、いたるところにあります。

星野 日本の田舎なんて、カメルーンの田舎と比べたら、なんでもあります。家だって、立派です。江戸時代みたいに屋根を藁(わら)や板で葺(ふ)いた家に住んでいるわけではありません。生活水準は田舎も都会も、あまり変わらないと思います。カメルーンの田舎とは、まったく水準が違いすぎます。

田舎に住んでいても、勉強すれば東京大学にだって入れます。いまはわからないけど、カメルーンの田舎だと、そういうチャンスさえありませんでした。

政府も学校を建てて教育を充実させようとはしていますけれど、すぐに教員の給料が滞ったりします。給料が払えなくなると教員がいなくなって、学校は閉鎖されてしまう。子供たちは勉強する機会さえ簡単に失いかねない環境にいるわけです。そういう田舎が、少なからずあるのがカメルーンです。

編集部　それでも、カメルーンの経済成長率は年三~四パーセントくらいあるということですから、その恩恵は受けているのではありませんか。

星野　恩恵を受けているのは都市部だけですね。もしかしたら、カメルーンの都市部の若者たちは、だんだんヨーロッパや日本と同じ暮らしに近づいているという実感を持っているのかもしれません。それが、幸福感に繋がっている可能性はあります。

編集部　同じように、日本の高度成長期に田舎から都会に出てきた人たちは成長を実感しながら、幸せを感じていたのかもしれませんね。

星野　明日のほうが良くなると思えることが、幸せには大事だということでしょうか。億万長者であっても、明日からどんどん悪くなる、資産が減っていく状況だったら不幸でしかない。ほかの人よりも資産はたくさんあるのに、それでも不幸なわけです。この下降感に人間はなかなか耐えきれず、不幸を感じるのかもしれません。

●ふるさと納税は愛郷心なのか

モーガン　最近、中国の田舎から出てきて都市部に住んで工場で働く人に関する本を読みました。田舎から大きな都市部に来れば、便利な生活になるので、ずっと住みたいと思うのだけれど、それは許されていないそうです。自分が住んでいたところから移って永住するには権利を取得する必要があるのですが、制度上、それは難しくて、とてもできない。

決められた期限だけ都市部で働いて、そのあとは前の田舎に帰るしかない。工場の都合のいい期間だけ働かされて、無理やり、また戻されるわけです。まるで奴隷のようです。

編集部　田舎の人を奴隷みたいに使って、都市部は成長していく。都市部に住んでいる人だけが、その恩恵を受けて、どんどん裕福になる。そういう都市部の中国人のほうが、平均的な日本人より年収は上だと言われています。

だから、田舎の人も都市部に永住して裕福になりたい。田舎に帰っても仕事はないし、せっかく工場で働いて得たお金もすぐに底をついてしまう。その不満から、けっこう暴動が起きているると聞いています。中国は共産党が統治しているので、そういう暴動が頻発していることを隠してしまっているようです。

モーガン　貧富の差が大きければ、貧しい自分の故郷を大事にする気持ちもなくなると思います。

日本では「ふるさと納税」というのがあって、都市部の人が田舎に税金を納める制度があります。あれは、ふるさとを大事にしたいという気持ちがあるからではないでしょうか。

編集部　ふるさと納税は、ふるさとを大事にするというより「通販（通信販売）」の感覚が強いように思います。ある地域にふるさと納税すると、その地域の特産品が返礼品としてもらえる仕組みです。たとえば、牛肉とか、けっこういい品物がもらえる。

星野　自分の故郷に納税する仕組みですよね。故郷である必要もないのかな。

編集部　自分のほんとうの故郷である必要はありません。だから、今年は牛肉をもらいたいからここに、次はコメをもらうためにあそこへ、と納税先を変えている人はたくさんいるはずです。自分の住んでいるところに納税しても返礼品はもらえないけど、ふるさと納税なら返礼品をもらえて得だ、と考えるわけです。

星野　ええっ、そんな仕組みなんですか。一万円納税したら一万円の返礼品がもらえるわけではないですよね。

編集部　返礼品の額は、納税した額の一部です。ふるさと納税してもらった自治体には、もちろん税収となります。だから返礼品で納税者を増やそうとして、返礼品を豪華にする競争になります。

星野　ふるさと納税を考えた人は、都市部ばかりが成長と人口の恩恵を受けて税収も増えるから、それを地方にも回そうとしたのでしょうね。ただ、そういう純粋な気持ちでふるさと納税する人ばかりではないから、おかしなことになっている。

行政の先を見通す力が足りなすぎたということでしょうか。返礼品の競争が起きるのはわかりきっているから、最初から上限を決めておくとか、競争にならないように考えておくべきです。考える力が足りないというか、ないとしか言いようがない。

モーガン　ふるさと納税をつくった人のインタヴュー記事を読みましたけど、「後悔している」と語っていました（笑）

編集部　ふるさと納税ができるのは、日本では田舎から都市部に出てきても、ずっと住むことができるからです。中国のように、一定年数後には強制的に田舎に帰らなければならないとしたら、ふるさと納税は成立しません。どこに住むか選択する自由があって、ふるさと納税ができるのも、考えかたによれば幸せのひとつなのかもしれません。

●ブルーカラーは不人気なのか

編集部　中国が都市部での生活者は増やしたくないけれど、田舎から出てくる人を一応受け入れるのは、働き手が欲しいからです。その意味では、先ほどモーガンさんが言われた「奴隷」ですね。

日本でも、働き手の確保に躍起になっています。日本人はブルーカラー的労働をやりたがらなくなっているので、とくにブルーカラーが足りない。

星野　ほんとうに日本人はブルーカラーをやらなくなっています。現場はメチャクチャ困っていて、そこで、いろいろな国からブルーカラーの人材を入れています。いわば、「移民」ですね。

一方で、「移民を入れるな」と叫んでいる日本人もいます。そう言うのだったらブルーカラーをやってよ、と僕は言いたい。「あなたの子供をブルーカラーにしなさいよ」と言うと、「いや、うちはホワイトカラーにします」という返事が必ずあります。ブルーカラーが必要、でも移民を入れたくないのなら、日本人がブルーカラーをやるしかないのですけどね。これも嫌、あれも嫌では、どうにもならないでしょう。

モーガン　私たち大学にも責任があります。みんなが大学に行かなければいけない雰囲気をつくってしまっている。

私の義父は、大学どころか高校にも行っていません。それでも溶接やトラックドライバーの仕事をやってきています。いくらでも仕事があり、安定した収入があったのです。大学に行かなくても、立派に働けます。

編集部　二〇二二年度で大学への進学率は五六・六パーセントで、過去最高を更新しています。大学に行くと、ブルーカラーを嫌がって、ホワイトカラーを当然のように目指すようになります。

そもそも、旧帝国大学は中央省庁の役人養成を目的にしていたところがありましたけど、企業も役所みたいな組織になって〝役人〟が必要になりました。そこに人材を供給する役割を担っているのが大学で、役人ですから、ホワイトカラーとなってしまいます。

星野　日本人の多くが、役人みたいになっています。そういう環境だから、なおさらブルーカラーになりたがらないのではないですか。

日本で、ブルーカラー革命を起こす必要がありますね。ブルーカラーという呼びかたのイメージが悪いのなら、「オーシャンブルー」とか呼びかたを変えてみるとかね。こっちだと、カッコいいですよ。

大学に行って都会のオフィスで働くのがカッコいいみたいなイメージがあるけど、ブルーカラーのカッコ良さを、もっとアピールする必要があります。

編集部 工業高校などは、成績が悪くて大学に行けないから、仕方ないから行くみたいなことになっています。職人もブルーカラーだと思いますけど、ちょっと前は職人の社会的地位は、もっと高かったと思います。

星野 僕は職人の世界でもアルバイトしたことがありますが、職人って、無茶苦茶頭いいし、カッコいいですよ。建設現場でも、現場を的確に把握しているのは職人です。そこに本社から偉い人が来て、いろいろ指図するけど、それに「それは違うでしょう」と言って説明していました。それに本社からの人は、「そうですね」と返すしかない。職人の言っていることのほうが正しいからです。すべての職人がそうだとは言いませんが、優秀な人はほんとうに優秀です。

モーガン 令和版の階級問題です。階級闘争をやらなければいけません。ホワイトカラーなんか辞めて、漁師をやる人が増えればいいと思います。

それなのに下に見られてしまうから、なり手もいなくなる。

編集部　経験やスキルのある漁師の年収は高いのですが、漁の出来不出来で収入は変わってきますからね。良いときもあれば悪いときもある。不安定です。日本人の安定志向はどんどん強まってきていますから、運が良ければ一〇〇〇万円以上の年収を稼げる漁師より、年収三〇〇万円でも安定しているホワイトカラーを選んでしまうのかもしれません。

星野　安定しているといっても、ホワイトカラーの仕事でもブラックな職場が増えています。無茶苦茶酷使されて、まるで奴隷労働みたいで、それでもホワイトカラーにしがみついている理由はないと思います。

編集部　ブルーカラーを増やすためには、ブルーカラーの職場環境も改善する必要があるかもしれません。流れ作業の歯車みたいに使われるのでは、面白くないし、やりたいと思わないのではないでしょうか。

星野　自動車工場でアルバイトしていたことがあります。あそこは地獄です（笑）

　とにかくベルトコンベアの流れに合わせて作業しなければならないけれど、そのスピードが速すぎる。やるべき仕事は決まっていて、たしか二〇くらいあったと思いますけど、それをベルトコンベアのスピードに合わせて自分の持ち場内で終えなければいけない。間に合わないとベルトコンベアを止めるのですが、止めると働いている全員の仕事が止まってしまうので、ザワザワとなります。

編集部　止めたのは誰だ、ということになるわけですね。

星野　すみません、と言って、手伝ってもらって、どうにか終わらせる。ほんとうに地獄でした。

モーガン　チャップリンの映画『モダン・タイムス』みたいですね。

星野　僕と友だちは、その作業を〝ロボット・ダンス〟と呼んでいました。ほんとに、ロボットみたいに動いていないと、とても作業が終わらない。それでも、給料は良かったような気がします。

編集部　給料は良くても、耐えられないくらい辛い労働なわけですね。ブルーカラーが必要なら、企業側もそうした労働環境を改善する努力を、絶対にすべきです。

星野　ただ、持ち場によって違います。組み立てラインは地獄だったけど、検品の仕事は暇すぎました。完成したクルマに傷とかへこみがないかを目視で調べるのですが、暇すぎて地獄で、たまには〝ダンス〟したい、とか思いました（笑）

●不安定に弱い

編集部　先ほど大学の話が出ましたが、いまの日本では「大学に行くのが普通」になっています。そんななかで、大学に行く意味について疑問があります。

元外交官の人に聞いたのですが、日本の外交官で大学院に行って修士号をとっている人はほとんどいないそうです。海外の外交官は、ほとんどが修士号を持っていて、博士号を持っている人も珍しくない。日本人は大学で何を学んでいるのか、と思ってしまいます。

モーガン　正直なところ、アメリカで博士課程まで行く人は、ほとんどが〝バカ〟ですよ（笑）とんでもないことを平気で言う人たちです。

義父は高校も卒業していない人でしたが、世の中のことをよくわかっていました。英語で「ホース・センス（horse sense）」と言うのですが、意味は日常生活に関する実践的な知識と適切な判断力のことで、「常識」ですね。義父はこの常識を持ち合わせていましたが、大学院まで行く人は、これがない。

アメリカには「credentialism」という――日本語で言えば「学歴偏重主義」ですね――問題があります。なぜかみんな肩書（＝立派だと評される学歴）が凄く欲しいようです。名門といわれる大学に入り、そのまま大学院へ行き、修士号や博士号を取得する。その後、ウォール街の大手ファンドなどに就職して、豊かな生活を送りたい。人生の勝者になりたい。

でも実際はそういう肩書はほとんど意味がありません。博士号を持っているアメリカ人と話をしても、ほとんどの場合、「この人は大学院で何を学んだのだろうか？」と思ってしまう。

先に触れたホース・センスがない。もしかしたら大学院というところは、常識を排除するために行くところなのではないだろうかと考えたこともあるくらいです。

そんな人たちが外交に携わることは難しいと思います。

編集部　専門知識のレベルは高いけれどほかの知識は低くて常識に欠けるような人を、日本では「専門バカ」と呼びます。

モーガン　その専門バカになると、考えが狭くなります。専門バカはなんでもコントロールできると思っていて、コントロールできない事態になると、どうしようもなく不安になり、パニックに陥ります。適切な対処ができなくなる。

アメリカの専門バカは凄く一般国民を見下しています。彼らは「一般国民はレベルが低く、間違った選択ばかりする」と思っています。そのためできるだけ一般国民が自らの意志で人生の選択をする環境をつくらせないようにしたい。

しかし、逆に私は常識を持っていることのほうが大切だと考えています。それは、大学や大学院で学んで身につくものでもないと思います。

編集部　常識は、実体験がないと身につかない。大学に行くのが普通になって実体験の機会が少なくなると、常識に乏しくなってしまうかもしれません。

モーガン　先日、ルーマニアから来た先生と話す機会がありました。ルーマニアは多種多様な民族で形成されている国で、現在は大統領を元首とする共和制国家ですが、一九八九年までは社会主義の国でした。独裁者による圧政が敷かれたため、国民が非常に苦しんだようです。ひと言で言ってしまうと、「変化の激しい国」です。そういう国に生まれて育つと、不安定が常識になるらしい。

新型コロナ禍、そののちにロシアのウクライナ侵攻があって世の中は大変です、と私が言ったところ、彼女は「不安定は人生そのものです」と返してきました。私たちは安定していることが当たり前だと思っているので、不安定になると、それこそ不安になるわけです。しかし不安定が人生だと思っていれば、どんなことがあっても動じない。

アメリカという環境で育った私が、ルーマニアという環境で育った先生に何気なく「最近いろいろあって大変ですね」と言い、「不安定こそ人生」と返された会話の背景に、育った環境の影響力の大きさが象徴されています。

いつも「なんとかなる。うまくいくに違いない」と楽天的に考えている私は、うまくいかない現実に直面すると、すぐに「世の中がおかしくなっている」と他者のせいにします。猛省が必要だと感じました。

編集部　日本人は不安定に弱いですね。たとえば東京でちょっと雪が降ると、電車が止まって、それに慣れていない人たちはパニックと言っていい心理状態になってしまいます。

モーガン　安定が常識になりすぎているからですね。安定が少しでも損なわれると不安で、不幸な気持ちになってしまう。

編集部　戦後の焼け野原から出発して、高度経済成長で日本人の生活は急速に豊かになりました。あまりに急速だったために、手に入れた豊かな生活を失いたくないという気持ちが、心の奥深くでいっそう強くなっているのかもしれません。

だから中国に理不尽なことを言われても、穏便に済まそうと下手に出てしまって、逆に変なことになってしまっています。リスクを取ることも必要なのに、安定志向が強すぎてリスクを取らない。かつて石原慎太郎さんが戦後日本を「惰眠(だみん)を貪っている」と評しましたが、まさに日本は惰眠のなかにいる気がします。

モーガン　ニューオリンズはハリケーンが多くて、洪水も多い。そういう日もあるので今日を楽しもうという意味の、「Laissez les bons temps rouler」という諺もあるくらいです。フランス語ですね。簡単に言うと、「引きつづき楽しもうよ」という意味です。明日はどうなるかわからないからです。ハリケーンで明日死ぬかもしれないけれど、今日はビールでも飲んで楽しもうという発想です。日本は頑張って安定を壊さないようにするけれど、どちらが幸せなのか、わかりません。

星野　日本も江戸時代、とくに江戸に住んでいた人は、そういう考えをしていたのではないかと思います。

編集部　江戸は火事が多くて、しかも木造だから、火が出ると、すぐ広がってしまいます。自宅が、いつ火事で燃えて消えてしまっても不思議ではなかったわけです。だから、明日のことは気にしていられない。「宵越しの銭は持たない」という江戸っ子気質も、そういうところから生まれたのかもしれません。

星野　どうせ、また火事に遭うんだから、いまの家を失わないように、いろいろ考えても仕方ない。いまを楽しもう、ということですね。

●国は守ってくれない

編集部　「宵越しの銭は持たない」だったのに、国が「貯蓄しましょう」と言うと、みんな一生懸命に貯蓄して、それを国が使う。それが、貯蓄しても仕方ないから投資しましょう、と国は言い出しています。そして国民は、株式など投資に一生懸命になっています。

モーガン　面白いですね。国が安定を提供してくれている、と信じているわけです。昭和なら、それで良かったかもしれません。しかし日本政府は、安定を維持できなくなっています。限界に来ていると思います。

編集部　だから国が言っているのは、「自己責任」です（笑）。投資に失敗した責任は自分で取れ、不安定になった責任は自分で取れ、というわけです。

モーガン　私の祖父は大恐慌を生き残ってきた世代ですが、貯金はします。他方、借金はしない、クレジットカードも持たない、株式も買ったことはありません。政府も銀行も信頼できないからです。だから貯金はある程度していたけれど、家のどこかに現金をたくさん隠していたと思います。銀行は未来永劫存在するものではありません。もし銀行が倒産したら、プランBが必要です。あの世代には、そういう人がたくさんいたはずです。

いまの人たちは、政府や銀行を信頼しすぎています。自分のおカネがどこにあるか把握していないし、おカネが回っていることが良いことと思っている。

編集部 そこまで理解していないと思います。どこそこに投資すればリターンが大きい、ということしか頭にないはずです。日本銀行（日銀）が株式や国債を買って相場を支えているという仕組みさえ、理解している人は少ない。支えなければいけないほど不安定だということが、わかっていない。

モーガン 日銀が支える仕組みは、大嫌いです。その日銀の行為を、「道徳違反だ」とアメリカの中央銀行制度の最高意思決定機関であるＦＲＢ（連邦準備制度理事会）さえも批判しています。

編集部 でも、その日銀の市場操作を裏で要求しているのは、ＦＲＢだったりするわけですよね（笑）

モーガン そうです。ＦＲＢは、全人類の敵です。彼らは自分たちが潤うビジネスを展開するために、アメリカのお金を刷りまくり、国民を苦しめているだけです。日本をはじめとする各国を「あなたたちは道徳違反だ」と批判する資格はありません。

アメリカという〝タイタニック号〟に乗っている日本は、かなり危ない。沈没して多数の犠牲者を出して映画にもなったのがタイタニック号ですが、アメリカもいつ沈没してしまうかわからない状態です。

編集部　いまの日本は安定していると日本人は思っているかもしれませんが、その安定は幻です。それにもかかわらず、大きな会社に入社すれば自分の将来は安泰で、幸せでいられるという意識からも抜けきれないのです。

モーガン　その意識は、いまでも強いですか。

編集部　強いです。将来のことを考えているのではなく、安定しているという認識は幻想かもしれないのに、それを考えないで目先のことだけで判断しているのかもしれません。

星野　一般の人たちは、まだ「国が守ってくれる」と信じている気がします。一般のレベルを遙かに超えた資産を持っている人たちは、もう国なんか頼りにしていないはずです。

編集部　アメリカでは富裕層が、自分たちの住む高級住宅地を〝独立〟させる動きが起きていますよね。高級住宅地の地域をフェンスで囲って隔絶する「ゲーテッド・シティ」も増えていると聞きます。

モーガン　私の父は金持ちではありませんけど、そういうところに住んでいます。犯罪率の高い地域なので、ゲートと警備員に守られたなかにいるほうが安心だからです。それでも完全に安全なわけではなくて、ゲート内でも犯罪は起きています。

編集部　同じようなところが、日本ではタワーマンションかもしれません。セキュリティの厳しいドアで遮断されて、警備も行き届いています。

星野　なるほど。アメリカは土地が広いからフェンスで囲めるけど、日本の土地は狭くてフェンスはつくれないから、コンクリートの建物でもって閉鎖している。

●農業は幸せか

編集部　裕福になっても、タワーマンションに住むことでしか安全を守られないような生活は、砂上の楼閣（ろうかく）でしかないと気づく人は増えていくかもしれません。

そういう生活を捨てて田舎で農業をやる人も出てきているし、そのために一生懸命働いて田舎暮らしで困らないくらいのおカネを蓄えようという考えかたも出てきています。

星野　それは、違うと思います。そうやって始める農業は生きるためではなくて、ただの趣味でしかありません。

生業（なりわい）であって、オーガニックとか自分の人生観を実現するための機会にもなれば素晴らしい。そういう農業をやる動きが本格化すればいいと思います。

編集部　実際に農業をやってみようという若い人も増えているようですが、大変な作業に耐えきれずに辞める人も多いと聞きます。

星野　大変さで言えば、都会の生活も同じです。残業続きで終電で帰る生活でも満足のいく収入は得られないで、すり減っていく毎日を過ごしている人は多い。いつ解雇されるかわからないリスクもあります。

編集部　満足できない額でも、とりあえず収入は得られます。暮らしていけるという、とりあえずの安心感はあるわけです。農業だと、天候次第で収入がゼロになる可能性もあります。苦労して収入ゼロのリスクがあるのでは、とても安心して取り組めません。

星野　そういうリスクに備えて保険制度を整えていけばいいのです。ビルのなかで作物を育てるハイテク農業が普及すれば、リスクも減って、農業に参入してくる人も増えるのではないでしょうか。

編集部　ハイテク農業には高額な設備投資が必要で、実際、すでにハイテク農業を手掛けているのは大手企業ばかりです。ハイテク企業が主流になると、結局は、企業で働くということになってしまいます。

モーガン　大手の農機具メーカーがエッセイを募集しているポスターを見ました。テーマは農業ですが、その求めているものは、パソコンを活かした農業など高度な技術を用いる農業についてでした。

農業についての私のイメージは麦わら帽子で、麦わら帽子をかぶったお爺さんが土と格闘している。パソコンの世界の農業は、そのイメージとはほど遠いものです。

星野　大昔は鋤(すき)を牛に引かせて土を耕していましたけど、それがトラクターに替わりました。肥料も昔は堆肥(たいひ)でしたが、いまは化学肥料が多くなっています。技術革新は進んでいるので、農業が進化していくのは当然です。しかし、そこで企業の論理に支配されていくとなると、また別かな、とは思います。

●楽しいと幸せの違い

星野　映画『マトリックス』は、どんな美しい人にもなれる仮想空間のなかに住んでいるのがいいのか、過酷な労働があっても現実のなかで生きるのがいいのか、それを考えさせる内容でした。映画では、青い薬を飲めば仮想のなかで暮らしていけるけど、赤い薬を飲めば現実を知ることになります。モーガンさんは、どちらの薬を飲みますか。

モーガン　自分の内側には、誰かを憎んでいたりとか、醜い部分がたくさんあります。その自分の内側と対峙(たいじ)しようとしないとか、ほんとうの自分を直視しないようにしている自分がいるのも事実です。

青の薬を飲めば、ほんとうの自分を知らないで、美しい自分だけを感じて暮らしていけるはずです。しかし、私は赤の薬を飲んで、ほんとうの自分と対峙していきたいと思います。

編集部　ほんとうの自分と対峙するのは、じつは苦しいことかもしれません。

モーガン　リアリティは苦しいことだと思います。でも、そのリアリティがあるから、ほんとうの「美」に繋がるはずです。

いまの人は化粧に一生懸命ですが、化粧はほんとうの自分を隠す「偽りの美」でしかありません。マザー・テレサはしわしわのお婆さんですが、身体の内側から溢れ出るパワーがあって美しい。

数年前、ダライ・ラマ一四世が私の勤務する大学までお越しになり、講話をなさったことがあります。私は大きなホールのほぼ最後列で拝聴しましたが、ダライ・ラマ一四世のパワーをしっかり感じることができました。それは決して「偽りの美」のパワーではありません。「魂の美」、全人類に対する慈愛のパワーです。あれこそがほんとうの美で、あのような美を手に入れることが幸せなことだと思います。

編集部　いまの若い人たちはスマホで自分の写真を撮りまくっていますが、修正ソフトも気軽に使っていて、鼻を高くしたり、目を大きくしたり簡単にできます。青い薬を飲んで、美しい自分の世界に酔っているのかもしれません。自分のリアリティを知りたくないのかもしれません。

モーガン　「どういうときが幸せだと思いますか」と学生に訊いてみると、九割までがゲームをやっているときとか焼き肉を食べているとき、または寝ているときと答えます。

星野　僕は、ちょっと共感できたりします（笑）

モーガン　私も焼き肉は好きですが、幸せとはちょっと違うと思います。幸せは赤い薬の世界です。辛い現実のなかで幸せにならない限り、ほんとうに幸せだとは言えないのではないでしょうか。

星野　楽しいと幸せを勘違いしているみたいですね。楽しいとか幸せの意味をみんな考えたこともないし、教えられたこともないと思います。ふたつの違いも考えたことがないだろうから、わかりませんよ。

日本の一般的な家庭で育った子供が親から教えられる幸せは、勉強していい大学に行って、いい会社に入って、安定した暮らしをすることだと思います。不安や恐怖がなくて、貧困でもない生活が幸せだ、と教えられているはずです。それが幸せだと、信じ込んでいるだけかもしれません。

編集部　それが自分の望んでいる幸せなのかどうかわからない。青い薬を飲んで、ほんとうの自分と向き合っていないだけかもしれません。

星野　僕の父はカメルーンのジャングルに寝泊まりして、マンドリルを追っかけていました。母も、親戚も友だちもいないアジアの端っこの国（日本）にやってきて子育てをしてきました。ふたりとも、大冒険の人生を送ってきたわけです。

そんな親なのに、子供には無難な人生を送らせようとするのかと、子供心に反発していました。そんな生きかたをあなたたちはしてこなかったでしょう、子供にだけ押しつけるなよ、とも思っていました。

編集部　それが、日本の一般的な親です。星野さんのお父さんやお母さんまでがそう言うのだから、大冒険をしないで、自分も無難な人生を送ってきた一般的な親だったら、なおさら自分の子供に無難な人生を送らせようとするはずです。幸せについて考えようとせず、教えられもしないなかで、青い薬を飲んだままでいようとする日本人がどんどん増えていくのかもしれません。

映画『マトリックス』は
どんな美しい人にも
なれる仮想空間の
なかに住んでいるのが
いいのか
過酷な労働が
あっても
現実のなかで
生きるのが
いいのか
それを考えさせる
内容でした

映画では
青い薬を飲めば
仮想のなかで暮ら
していけるけど
赤い薬を飲めば
現実を知ることに
なります
モーガンさんは
どちらの薬を飲みますか

自分の内側には
誰かを憎んで
いたりとか
醜い部分が
たくさんあります

自分の内面と
向き合おうとせず
美しい側面だけを
感じるために青の薬を
選ぶことはできます
しかし私は赤の薬を
選び

真実の自分と
対峙し、
成長して
いきたいと
考えています
ほんとうの
自分と対峙するのは
じつは苦しいこと
かもしれません

第五章　文化の壁

●日本人は個性尊重か

編集部　日本人には強い白人コンプレックスがあります。一〇〇年以上も鎖国していたのに、いきなり現れた黒船に脅されて開国、欧米人が来るようになったら、身体が大きいことに驚いた。そこから、白人コンプレックスは始まったのかもしれません（笑）

それが終戦によって拍車がかかることになりました。テレビでも雑誌でも、「アメリカは素晴らしい」という情報に溢れていましたから。

モーガン　いま英語が世界の共通語みたいになっていますが、それはイギリスとアメリカが帝国主義者だったからです。いろいろな国を植民地にしていって、その結果、「白人＝上の人」というイメージをつくってしまった。「アメリカは素晴らしい」の裏に、非常に暗い歴史が潜んでいます。

編集部　日本の学校でも、戦後は英語重視になりました。それは、いまだに続いています。二〇二〇年度からは、小学校の高学年でも必修科目になりました。

モーガン　だからといって、英語を公用語にしているわけではありません。意識しているかどうかわかりませんが、日本人は日本らしさを大事にしているし、個性も大事にする国柄だと、私は思っています。英語はひとつのツールにすぎません。先の大戦に負けてから日本人が英語を重視して勉強しても、異文化を上手に受け入れるというスタンスは変えていません。それは日本が個性に溢れていること、個性が尊重されていることに現れていると思います。

編集部　そうですか？　逆に、日本人は個性を尊重していないし、個性が強いと、それをつぶそうとする力が働くように思えます。

モーガン　アメリカは同調する文化です。たとえばタトゥー（刺青）が流行ると、みんながタトゥーを入れます。ワクチンも同様です。打つ人と打たない人と、両方の考えかたがあると、個人の判断を尊重するのではなくて、当局は「みんな早く打て」という命令だったようです。「同調」という言葉をときどき耳にしますが、日本には、みんなに流されない、他人とは違う変わった人がたくさんいると思います。

編集部　日本人だから気づかないだけかもしれませんが、とてもそうとは思えません。

モーガン　たとえば、家です。私の家の隣の隣の家は、エレクトリックブルー（鮮やかな青）にペイントされています。アメリカではあり得ない。ほかにもグリーン、ピンクという家もあります。最近、近くにある家は、なんとミカン色に塗装されました。父が昔住んでいたアメリカの住宅地では、家の色が住宅地の委員会で定められていました。ブラウン、グレー、ホワイトぐらい、合わせて六、七色の非常に地味な色しか許されなかった。そうすれば、家の価格が保たれるというロジックですが、この話を聞いたとき、私は「どこが自由か」とあきれました。

編集部　そのような家の色は日本でも珍しいと思います。日本の文化、特徴というよりも、モーガンさんが住んでいるところの地域性ではないでしょうか。いまでは建売住宅だと、同じ家が数棟、固まって建てられています。個性なんて、ありません。

モーガン　さらに深掘りしますと、私がアメリカにいるときにいつも感じてしまう、周囲のやりかたや意見に合わせるよう強要する圧力は、日本でもある程度は感じます。ただそれは表面的な同調で、胸中はとても自由と感じています。

テレビの番組でも、マツコ・デラックスさんとか〝個性的な〟人がいっぱい出演しているじゃないですか。それを日本人の視聴者は受け入れています。アメリカでは、マツコさんは個性的すぎるので、自分の番組を持つことはできないでしょう。仮にアメリカでマツコさんの番組をつくるとしたら、LGBT解放のシンボルとしてテレビ局は利用するでしょう。マツコさん本人の尊厳は尊重されない気がします。一方で実際のマツコさんの番組を見ますと、マツコさんがメインではなく、ゲストと、ゲストが紹介するトピックに焦点が当てられています。これは、恐らく日本人の心の広さの副産物だと思います。

編集部　それはショービジネスの延長だからではないでしょうか。マツコ・デラックスさんが、あの格好で一般のコミュニティにいたら、たぶん、疎外されます。

モーガン　パンツ一丁で、「安心してください」と言ってる芸人さんもテレビに出演していま す。かなり前の話ですが、もうひとり、パンツ一丁の姿で舞台に出て、「そんなのおいらにゃ関係ねぇ」と言って変なダンスを披露する芸人もいました。あれはアメリカではあり得ない。「ズボン履きなさい」と言われるはずです。私は見たくないし、気持ち悪い。でも、日本の人たちは普通に笑っています。そういうギャグは、アメリカであまり受け入れられませんが、日本では通じています。

編集部　ただ、パンツ一丁のとにかく明るい安村という芸人は、イギリスで凄く受けたのです。

モーガン　あれは、芸ではなくて、頑張っている姿が認められただけではないですか。芸として認められたわけではないと思います。一生懸命に舞台で頑張っている、遠い国から来てくれた人を応援するという、一種の温かい歓迎でしょう。一方で、アメリカのコメディは下ネタばかりで、それも私は感心しません。

編集部　日本では下ネタを放送しづらくなっているので、それで少ないだけだと思います。下ネタが売れるとなったら、テレビ局も芸人も、あの手この手でやってくるはずです。日本人は流されやすい。

モーガン　なるほど。

星野　お笑いにしても、日本はジャンルが多い。落語もあれば漫才もあるし、裸芸もあれば、モノマネもあります。漫画にしても、冒険活劇から恋愛もの、サラリーマンものからグルメ、凄くジャンルが多い。そういうふうにジャンルが多く存在しているのは、個性を認める土壌があるからではないでしょうか。

編集部　それを個性というのなら、たしかに多様な個性が存在しているのかもしれません。

星野　店に並んでいる商品の数も、かなり多い。お菓子でも本でも、無限なくらいに違う種類のものが並んでいます。

モーガン　クルマの雑誌もいろいろありますね。数年前、クルマを買おうと思って、妻とショッピングモールの本屋さんまで足を運んで、クルマに関する雑誌を探しましたが、種類の多さに驚きました。クルマだけでなく、いろんな本や雑誌があるので、私は書店に行くのが大好きです。勉強になります。

星野　食べ物や料理の種類も凄い。カメルーンだと、ガムの種類はひとつだけで、「ガムが欲しければこれを買いなさい」という感じです。日本のコンビニに行くと、何種類ものガムが並んでいます。

日本人の民族は単一性が高いと言われますけど、好みに関しては多様だから、商品の数が多いのではないでしょうか。凄いな、と素直に思ってしまいます。

カメルーンでは、立派な店に置いてあるものも屋台で売っているものも同じです。種類がないから、同じになるわけです。日本に比べたら民族の数は圧倒的に多いにもかかわらず、食べるものや売っているものにはバリエーションがありません。

モーガン そして、日本では地域ごとに「名物」があります。いろいろな種類のものを売っていながら、地域独特のものまで存在しています。どんな小さな村でも、その村が誇るラーメン、和菓子、佃煮、漬物など名物があります。逆にアメリカでは、大きな街の人でも、名物は何かと訊かれたら、答えられません。ニョーヨークの名物は何？　シカゴはピザだと言われていますが、ほかの町でも当然、シカゴスタイルピザが食べられます。ニューヨークの名物は、犯罪かもしれませんが……（笑）

星野 カメルーンでは考えられないし、こんな国はあまりないかもしれません。

●残酷なアメリカ文化

編集部　イギリスという国はオリジナルの文化がほとんどありません。シェイクスピアの劇作も元を辿ればギリシアだし、ポップ・ミュージックもアメリカのブルーズの影響を受けていたり、クラシックもオーストリアから来たものです。入ってきたものをエディティング（編集）したものが、イギリスの文化と言えるのではないでしょうか。

じつは日本もそれに似ています。日本も中国から入ってきた文化、欧米から入ってきた文化をエディティングしてきました。

モーガン　アメリカもいろんなところから入れてきていますが、エディティングはしないですね。そのまま使っている。

編集部　日本はエディティングします。ひらがなやカタカナは、大陸から入ってきた漢字から派生させたものです。

アメリカはエディティングしないかもしれないけど、アメリカのプランテーションで酷使された黒人奴隷からブルーズが生まれて、いまや世界中のポップミュージックのベース（基礎）になっています。これは凄いことです。

モーガン　しかし、それはある意味で残酷な話です。そうしたルーツは無視して、白人がロックを歌うわけです。白人歌手がロックを歌うとき、ミシシッピの奴隷生活に思いを馳せていることはほとんどないと思います。

そうやって昔の苦労とか悲しみを無視して、忘れ去って、〝虚飾〟でキャッチーにしているのがアメリカ文化です。その意味で、アメリカ文化は残酷だと言えます。

エディティングに関する音楽の例はいいですね。アメリカのブルーズは黒人の文化で、アメリカの白人のほとんどがブルーズを拒否しましたが――有名な話ですが、エルヴィス・プレスリーの実家は貧しく、黒人が多く住む街で育ちました。そのためブルーズやR&Bに抵抗がなく、あの斬新なロックンロールを創造したのです――一九六〇年代にイギリス人が見事にブルーズをエディティングして、ザ・ローリング・ストーンズやザ・フー、エリック・クラプトンの在籍していたザ・ヤードバーズなどのグループがブリティッシュ・ロックとして逆にその文化をアメリカで発表したら、大ヒットしました。私たちアメリカ人は、文化的エディティングが下手みたいですね。

編集部　白人シンガーが歌ってヒットして儲けたおカネの一〇〇分の一でも、奴隷労働で苦しんだ人たちの子孫に渡すようにすれば、過去を尊重したことになるのではないでしょうか。

モーガン　そういうことは考えません。横取りしておいて、「ありがとう」のひと言もなし。かつて白人がプランテーションで黒人奴隷を酷使し、いまはその子孫たちが暮らすミシシッピ・デルタは、いまだに貧しい地域のままです。アメリカ人は過去を振り返らない。アメリカ人にとって、歴史は存在しないものだと思います。存在するのは〝アメリカ〟という神話です。アメリカで一般に「歴史」と呼ばれているのは、その神話を裏付けるさらなる神話にすぎません。

編集部　日本人は歴史好きなので、歴史的な出来事を振り返って話題にする人は多い。戦国時代にこんなことがあった、明治時代にはこんな話がある、といった具合に話すことがままあります。そういう話を、アメリカ人はしないのですか。

モーガン　あまり、しません。歴史が好きな人はもちろんいます。しかし、歴史の詳細を真剣に研究すればするほど〝アメリカ〟という神話が信じられなくなって、世間に求められるアメリカ人としては半分失格になってしまいます。アメリカではすべてが前向き、すべてが「次代の興隆」のためです。歴史はそういう環境ではあまり芽生えてこない。他方、私は振り返ってばかりだから、もう後ろ向きに歩いているようなものです（笑）

星野　マイケル・ジャクソンのムーンウォークですね（笑）。モーガンさんは、ムーンウォーク人生だ。

編集部　いまの福島県にあたる会津藩は、明治維新のときに幕府に味方して薩摩藩（鹿児島県）と長州藩（山口県）に滅ぼされました。いまだに福島県には、鹿児島県や山口県に深い恨みを抱いている人が少なくありません。

モーガン　それは、アメリカの南部の人たちも同じです。一〇〇年以上も前のことなのに忘れていないわけです。南北戦争で自分たちを叩きつぶした北部に、良い感情を持っていません。南北戦争後の〝北部正当化〟プロパガンダが半端ではなかったこともあり、いまの南部の人間は、普通のアメリカ人と同様、歴史に無関心になっていますが、南部の人の一部は、北部やリンカーンが大嫌いです。戦争に負けると、歴史を覚えている限り、その恨みは永遠になくならない。

編集部　ただ、先の大戦では東京大空襲で三〇万人がたった一日で亡くなり、広島で一四万人、長崎で七万人が原子爆弾（原爆）で亡くなったのに、アメリカに恨みを持っている日本人は、意外にも少ない。

モーガン　先日、同じことを新聞に書きました。バイデンが広島に来て、原爆慰霊碑に献花しました。ところが、「反省しろ！」とか「謝れ！」と怒鳴る日本人はまったくいませんでした。

ワシントンは原爆投下という酷いことをやりながら、一度も謝ったことがありません。それに文句を言わない日本人は、私にすれば不思議の域を超えて、異常なことだと思います。

南部に北部の人間が来ると、南部の人は「ヤンキー・ゴー・ホーム（ヤンキー、帰れ）」と言います。言わなくても少なくとも心の中ではそう思っています。それに対して、市街地への原爆投下というジェノサイド（集団殺戮）をした相手に、日本人は怒りをぶつけようとしません。星条旗を掲げて歓待している。

二〇二三年七月にアフリカのニジェールでは、実質的な植民地支配を続けているフランスの大使館への放火や、デモがありました。植民地支配してきたフランスへ恨みをぶつけたわけで、「出ていけ！」と意思表示したわけです。そのニジェールのニュースで、街に出てデモを起こす人々が持っているプラカードなどを見て、凄く親しみを感じました。日本からですが、応援してしまいました。

日本でも「アメリカは出ていけ」という声がもっと強まってもいい、と私は思っています。アメリカ軍基地も、日本から出ていくべきです。

広島の原爆資料館に私も行ったことがありますが、「おまえたちがやったんだろう」と日本人に責められるのではないかと、ビクビクしていました。しかし、そういうことは、一切ありませんでした。お好み焼き屋さんに行っても、「どこから来た」と訊かれて「アメリカ」と答えても、歓待していただきました。

星野　モーガンさんが原爆投下を命令したわけでも、投下ボタンを押したわけでもありません。アメリカ人であっても、投下を命令していない人やボタンを押していない人に「おまえがやっただろう」と責めることには、理不尽さを僕は覚えます。

抗議するなら、アメリカ政府に対してです。過去の歴史を、そのあとに生まれた人たちが引き受けなければならないとしたら、永遠に憎しみ合いを続けることになります。

編集部　日本と韓国、中国の間に同じような問題があります。過去のことについて、韓国や中国は永遠に日本を責め立てようとします。

星野　僕に子供がいたら、「僕と敵対している人がいても、子供たちからはゼロの関係で始めてほしい」と伝えると思います。いつまでも恨みを言いつづけていたら、また戦争になってしまいます。子供たちはそういう人たちとも同じテーブルを囲んで食事ができたらいい、と僕は思います。

モーガン　原爆や日韓の問題は過去のことですが、ニジェールの場合は過去ではなくて、現在進行形の話です。フランスの支配構造が続いています。

星野　現在進行形のことについては、断固として訴えつづけるべきだと僕も思います。

原爆資料館を訪問したモーガンさんを受け入れる日本人のマインド、僕は評価します。「昔のことは、どうでもいいよ。原爆も関係ないよ」と言う日本人がいたら、さすがにムカつきますけどね。

「酷いことをして申し訳ない」と言ってくれるアメリカ人には、「そう言ってくれて嬉しい」と応えられるコミュニケーションがあればいいな、と思います。

モーガン　いまだに、戦争を終わらせるために広島と長崎に原爆を落とした、と信じているアメリカ人は多くいます。ちょっと勉強すれば、原爆を落とさなくても戦争が終わったことは理解できるはずです。

しかしそういう勉強をしようとしない。歴史を消化できないのがアメリカ人かもしれません。だから、簡単に他人の国に入っていく。その国の歴史も知らないで、「救ってあげるよ」と武力で介入していくわけです（笑）

編集部　植民地主義からアメリカも抜けだせていない、ということなのかもしれません。

●ヨーロッパ人の優越感

モーガン　アフリカから発信しているネットTVがあります。いろいろなアフリカのニュース、政治分析などを視聴できます。そこで、あるフランス人によるルワンダのポール・カガメ大統領へのインタヴューが紹介されていました。彼は二〇年以上も大統領の座にありますが、その任期について、フランス人のインタヴュワーが「二〇年以上は長すぎると思いませんか」と質問していました。

それに対してカガメ大統領は、「長くても、選挙を経て選ばれている」と反論していました。当然です。よく言った、と私は思いました。

インタヴュワーは二〇年以上の長期は許されない、民主主義に反する、といったニュアンスで訊いていましたが、そんなことをフランス人が言う資格があると思いますか？　ルワンダを植民地支配してきたのはフランスで、寄生虫のようにルワンダの富を奪ってきたのです。ほかにも、たとえばハイチ、インドシナ、アルジェリアなどでも、フランスがやったのは、決して民主主義的な行動ではありません。でも、そのフランスの国民が、大統領の任期を「民主主義的でない」と批難する。インタヴュワーの偉そうな態度も、じつに鼻につくものでした。

星野　西欧病というか、自分たちは文化的に先進国だという優越感をヨーロッパの人たちは持っている気がします。僕はヨーロッパの人とも交流していますが、そこは譲れないもののように見えます。

フランスという国は、昔は圧倒的な力を誇っていたけれど、影響力はどんどん後退して、軍事力ではアメリカに負け、経済では日本や中国にも負けている。そんななかで「自由・平等・友愛」は自分たちの専売特許だと思っているのでしょう。それをなくせば、自分たちの存在理由がまったくなくなるのを知っているから、それだけは絶対に譲りたくない……。

モーガン　力を失っているのは、認めざるを得ない事実ですからね。なおさら、「自由・平等・友愛」の民主主義は自分たちが始めたのだという優越感は手放せないのでしょう。

星野　「自由・平等・友愛」はフランチャイズで、その本部が自分だとフランスは考えているのかもしれません。そして、そのフランチャイズの加盟店である各国に、「きちんとやっているか」と本部として睨みをきかさなければならないと思っている。カガメ大統領にインタヴューしたフランス人の訊きかたにも、そうしたフランチャイズ・オーナー的な物言いを感じます。

●アメリカを見下すヨーロッパ

モーガン　ヨーロッパ人は私たちアメリカ人も見下しています。ヨーロッパの人がアメリカに来ると、文句ばかり言っています。もっとベルギーみたいにすればいい、フランスみたいにすればいい、そんなことばかり言っています。アメリカ人としては言われたくない。余計なお世話です。

そのアメリカ人が、よその国に行くと、ヨーロッパ人と同じことをやっています。インドに行って、こうやればいい、とかアドバイスしまくります。インドの政治なんてわかっていないのに、したり顔でアドバイスしたがります。もう、コントでしかない。

星野　人間の文化や価値観については、考えかたがふた通りあると、僕は思っています。ひとつは、文化や価値観は進化していくという考えかたです。もうひとつは、文化や価値観はグルグル回っているだけで、どれを選択するかだけの問題だという考えかたです。

ヨーロッパの考えかたは前者で、原始の状態から中世があって、民主化によって近代、現代に繋がっていくと考えているはずです。その階段を先駆的に上ってきたのは自分たちで、いずれ、どの国も自分たちのあとを追ってくるしかない。アメリカもアジアもアフリカも、いつかは自分たちと同じ民主化に辿りつくのが必定だと思っている。もう自分たちは行きついているからアドバイスできるよ、と言っているようなものです。

モーガン　慶應義塾の創始者である福沢諭吉も、「結局は民主主義になる」と明治時代に唱えていました。日本も進化していけば、民主化に辿りつく、欧米に追いつけ、というわけです。

アメリカの政治学者のフランシス・フクヤマも著書『歴史の終わり』（渡部昇一訳・三笠書房刊）で、どの国も民主主義という山の頂に辿りつくので、先に辿りついたら待っているしかない、と述べています。さらに、「早くいらっしゃい」と加速を働きかけるしかない、とも言っています。

星野　アフリカでキリスト教の宣教師がやったことは、まさに「早くいらっしゃい」でした。アフリカは原始の状態だからかわいそう、早く西洋のように豊かになりなさい、それにはキリスト教という文明を学ぶ必要がある、と当時の宣教師たちは本気で思っていたと思います。彼らにすれば「諭し」ですが、アフリカの人たちにしたら「押しつけ」以外の何ものでもない。

モーガン　自分たちは善いことをしている、という思いでいっぱいだったのでしょうね。

星野　口ではそう言っていたけれど、実際にやったことは「自由・平等・友愛」からはほど遠いものでしかなかった。都合のいいところだけ自由だ友愛だと言っているけれど、全然平等に接していません。それは、いまも同じです。言ってることとやってることが矛盾していることに、いまだに本人たちは気づいていない（あるいは気づきたくない……？）

モーガン　矛盾というよりも、偽善です。

●清潔は日本の文化か

編集部　星野さんに訊きたいのですが、日本からカメルーンに持っていきたい、伝えたいことって、何かありますか。日本のこういうところをカメルーンに導入したら有益だ、と思えるものといったところでしょうか。

星野　有益かどうかはわかりませんが、僕が日本で好きなのは、清潔なところです。学校でも教室をきれいにしたり、修学旅行などで旅館に泊まっても「来たときよりも、きれいにして帰りましょう」と、先生が生徒を指導します。あの文化が、僕はいちばん好きです。

カメルーンで凄く賑やかで栄えている、ドゥアラという街があります。街なかはそこらじゅうにゴミが落ちていて、川もドロドロです。あの光景を見ると、胸が詰まる思いがします。僕は日本から来ているから気になるけれど、現地の人は平気なのかな、と考え込んでしまいます。

編集部　日本も昔は清潔とは言えなかったと思います。タバコやゴミを路上にポイポイ捨てていました。いつごろから、清潔な日本になったのかな。

星野　それは、わかりません。昨日も僕が帰宅するとき、ちょっと暗くなっていましたが、大学生くらいの男性が、ジュースのパックをポイと捨てたんです。僕が見ていたので、彼は気まずそうな顔をしていました。

しばらく歩いていたら、その男性と鉢合わせしてしまったので、思わず「お兄さん、あんなところにゴミを捨てたらダメだよ、街が汚れる」と言ってしまいました。すると彼は「すみません」と言って、すぐにゴミを拾いに行って、近くのコンビニのゴミ箱に捨てていました。そのコンビニのなかで会ったら、「ちゃんとゴミを捨てておきました」と報告してくれる。それに僕は、「OK、OK」と応えましたけど、こういうコミュニケーションっていいなと思いました。僕が強面だからケンカにならなかっただけかもしれませんけどね（笑）

でも、サッカーでも、試合後に日本人サポーターが応援席を掃除して帰るのが、世界的なニュースになったじゃないですか。そういう文化が、僕は好きです。

編集部　音楽フェスティバルでも、終わったあとはアメリカでもイギリスでもゴミだらけになっています。それに対して日本では、決められたゴミ捨て場にきちんと捨てて帰ります。

星野　そういう文化があるからではないでしょうか。

編集部　新型コロナでの規制が解除されて、あちこちの観光地に人が戻ってきています。鎌倉もそのひとつで、観光客が戻ってきたのはいいけれど、ポイ捨てされるゴミが増えて地元の人が困っているそうです。それをとりあげたニュースで地元の人が、「外国人の観光客が増えているせいです」とコメントしていました。ポイ捨てして街を汚しているのは外国人観光客で日本人ではない、というふうに聞こえました。

星野　そうは言いきれないはずですけどね。日本人だって、ポイ捨てする人はいます。外国人観光客だけが、鎌倉でポイ捨てしているわけではない。

モーガン　私は、ポイ捨てしているのは外国人だ、と思ってしまいます。ゴミが捨てられているのを見ると、「また外国人の仕業(しわざ)だな」と。私も外国人なんですけどね（笑）。日本人がポイ捨てをするわけがない、という意識が私にはあります。

星野　日本人だって、やりますよ。ただ、やる人の割合が少ないだけではないでしょうか。ゼロサムの極論で考えると、ほんとうの姿が見えなくなると思います。

ポイ捨てする日本人の割合は少ないから日本人はポイ捨てしない、ではありません。日本人のなかにもポイ捨てする人はいることを忘れると、本質を見失います。

編集部　極論で話を進めてしまうケースは、たしかに多いと思います。本質を語っているようでいて、じつは語っていない。

星野　よく「アフリカ人は足が速い」という言われかたをします。そんなことないですよ。足の遅いアフリカ人だって、います。もしかしたら速い人の割合が少しだけ高いかもしれませんが、アフリカ人だから足が速いわけではない。

日本人は手先が器用だと当然のように言われるけれど、日本人にも不器用な人はいます。そういう人の割合が高いのかもしれませんが、全員が器用なわけではありません。

ゼロサムの思考だと、すぐに思い込んでしまうとか、ステレオタイプでしか考えられなくなり、簡単に洗脳されてしまいます。

編集部　日本人は、ゼロサムで考えがちだし、ステレオタイプで判断することも多い気がします。鎌倉の地元の人が「ゴミを捨てているのは外国人観光客」と言っているのも、思い込みが強すぎるのかもしれません。鎌倉全体を見張っていないと、そういう結論は口にできないはずです。外国人だと目立つから、たまたま目にとまっただけかもしれません。

たとえば九州出身だというと、すぐに「お酒が強いでしょう」という反応になります。九州にも酒が弱い人はいるし、下戸の人もいるのですけどね。

星野　それをコミュニケーションのツールとして使う場合もあります。きっかけとして「九州には酒が強い人が多いと聞きますが……」と言ってみると、「じつは飲めない」という反応がある。それに「そうなんだ」と応えて、話の輪が広がっていくことはあります。九州出身者だから酒に強いと決めつけるのではなく、会話の糸口として一般論を訪ねる。コミュニケーションのツールとして使うのは問題ないと思います。

編集部　短絡的に決めつける日本人は多いのかもしれません。九州出身は酒に強い、という思い込みを頑(かたく)なに変えない人はいますから。

星野　そういうことでは、僕は関西で育ったから「ツッコミとかボケとか上手いでしょう」とよく言われます。関西では子供のころからツッコんだりボケたりをしょっちょうやっていますから、上手い人はほんとうに上手いです。しかし、みんなが上手いわけではないし、みんながツッコミやボケをやっているわけではありません。

僕が「できません」と言うと、「関西人なのにボケないの!?　ツッコミしないの!?」と驚かれます。そんなに驚くことかな、と僕は思いますけどね（笑）

日本の街は清潔だけど、日本人全部がポイ捨てしないわけではない。ポイ捨てをする日本人の割合が少ないから街は清潔を保てている。そこをきちんと理解しておかないと、誤解が生まれますね。

●嘘をつかない

編集部　モーガンさんは、どうでしょうか。日本にあるもので、アメリカに導入したいところはありますか。

モーガン　ひと言で言えば、「素直さ」でしょうか。星野さんの話にあった、ポイ捨てしても星野さんに注意されるとゴミ箱に捨てに行く男性も素直です。

アメリカではとても考えられない。ゴミのことで注意されたら、「おまえとは関係ないだろ！」と絶対に口応えするはずです。やったことを認めて、素直に反省する。これはアメリカではあり得ません。

星野 その男性がたまたま素直だっただけかもしれません。日本人のすべてが素直にポイ捨てしたゴミを拾ってゴミ箱に入れる、ということはないと思います。「関係ないだろ！」と言いかえす日本人も、数は少ないかもしれないけれど、存在するはずです。

モーガン 日本に来て、テレビでニュースを見ていて驚いたことがあります。事件があって容疑者が捕まって、アナウンサーが「容疑者は容疑を認めています」と言っていました。それを聞いて、「逮捕されてすぐに容疑を認めている」とびっくりしました。逮捕されたばかりで、まだ弁護士とも会っていないはずなのに容疑を認めるなんて、アメリカではあり得ません。容疑を認めてしまえばアウトなのに、あっさり認めてしまう。

全員がそうではなくても、そういうケースが日本では多い気がします。アメリカ人の私にとっては、驚くべき素直さです。

編集部 子供のころから「嘘は絶対つくな」と教えられて育っていますから、それが染みついていて、逮捕されても正直に答えてしまうのかもしれません。

モーガン　アメリカの親も子供に、「嘘は絶対つくな」と教えます。だからアメリカの子供も嘘をつかないけれど、そのあとに「Ｂｕｔ（しかし）」があります。「僕がやりました」のあとに「しかし、こういう事情があったので悪くはないはずです」と続くのです。アメリカは、どちらかというと、このＢｕｔ文化です（笑）。Ｂｕｔなしに容疑を認めることは、あり得ないと思いました。とても、驚きました。

星野　日本には、反省した人を許す文化があります。裁判でも、被告がどれくらい反省しているかも加味した判決を裁判官は下します。あれって、日本らしいなと僕は思っています。

アメリカには、反省した人を許す土壌みたいなものはあるのでしょうか。

モーガン　一応あります。求刑は懲役五年なのに、反省しているみたいだから三年にする、というのはあります。しかし、それも交渉次第です。弁護士が介入し、当局と交渉が進んでから、ようやく〝反省〟を見せるわけです。もちろん、ほんとうに反省している人はいると思いますが、それでも弁護士抜きに、逮捕された途端に容疑を認める人は非常に少ないでしょう。

編集部　交渉というと取引に聞こえますが、感情みたいなものも取引材料になったりするのでしょうか。

モーガン　裁判におけるトレーナー的な役割を果たす職業があります。たとえば、黒い服は有罪のイメージを与えるから着るな、といったアドバイスをするわけです。

アメリカの裁判は一般の人から選ばれた陪審員によって犯罪事実の認定が行われます。陪審員の印象が判決を左右するので、どう好印象を持ってもらうか、そこは取引のようなものです。陪審員の前で泣くのが効果的だとトレーナーにアドバイスされたら、泣きたくもないのに必死で悲しいことを考えて涙を流してみるとか、そういうパフォーマンスで罪を軽くしてもらおうとするわけです。

素直さではなくて、すべてがパフォーマンスになって、その出来で決まってしまうのがアメリカです。

私が強調したいのは、逮捕された直後に罪を認めてしまうという日本人的素直さのことです。裁判の前に自分で罪を認めてしまうわけですから、アメリカでは考えられません。

星野　反省がパフォーマンスで、その裏にトレーナーがいるとわかれば、日本社会だと叩かれますね。逆に印象を悪くしてしまいます。

モーガン　それが成り立つのがアメリカです。罪を犯すと、人の心を傷つけることになります。傷つけられたら辛いはずで、辛い思いをさせてしまったら、素直に謝るべきです。

そういう相手の心を考えて素直に謝るのは、日本の美しい文化だと思います。アメリカにも必要なものです。

●ロボットではない社会

編集部　逆に、日本に導入したいカメルーンの良いところはありますか。

星野　前にも触れましたけど、カメルーンでは年上の女性は誰であっても「ママ」と呼ぶし、男性なら「パパ」と呼びます。そういう人懐っこい側面が日本にはないというか、前はあったけど、なくなってしまったのかもしれません。あの家族的な雰囲気を、日本に入れたいですね。

編集部　以前は日本でも、近所の人たちと親しく付きあう習慣がありました。親しいコミュニティがあったはずですが、いまはなくなった気がします。東京では、同じマンションに住んでいても、隣の人がどんな仕事をしている人なのか知らないのが普通だったりしますから。

星野　メチャクチャ親密になる必要もないと思いますが、あまりにも日本は赤の他人同士の関係になっている気がします。度を越えた赤の他人になっています。

コンビニの店員さんにしても、「今日は暑いですね」と客に声をかけるでもなし、ただレジでピッとバーコードを読み込むだけです。人間同士が接している感覚がなくて、まるでロボットです。コンビニだけでなく、そういう関係が日本では普遍化しているように思えます。

編集部　無人レジで店員のいないコンビニも登場している時代ですからね。人と人とが接することが大事にされない傾向が、日本では強まっているのかもしれません。

星野　困っている人がいても、素通りしてしまう人が多いのも現実です。「大丈夫ですか？何かありましたか？」と言えるカメルーンみたいな空気が、日本にも欲しいと思います。

学校に遅刻してきた子が「知り合いのおばさんと道で会って、立ち話をしていた」と説明したら、「そうなんだ。それで、どんな話をしたの？」と先生が返せるような空気感が欲しい。

編集部　その理由だと、絶対に許してもらえませんね。逆に、間違いなく怒られます（笑）

星野　そうですよね（笑）。でも、五分の遅刻を気にするより、知り合いのおばさんとのコミュニケーションのほうが大事だと、僕は思います。ちょっとのゆとり、それが日本には欠けているし、欲しいなと感じています。

編集部　ゆとりは、たしかに日本の社会では失われてしまったものかもしれません。

星野　ゆとりがなさすぎなうえ、厳しくしすぎている。ちょっとだけ緩めることが、いまの日本には必要な気がします。

いまの世の中は物騒だから、わざわざ知らない人と親しげに話す必要はないかもしれません。相手が誘拐犯だったら、大変なことになりますから。

しかし、知り合いのおばさんなら、学校に遅刻しそうでも話をする、そんなゆとりは必要だと思います。

編集部　商店の人と、挨拶するとか、他愛もない話をするコミュニティが、かつては日本にもありました。魚屋さんや肉屋さんで買い物して世間話をするような光景が、あちこちでありました。それが買い物はスーパーが主流になって、自分でカゴに入れてレジに持っていって、レジではひと言も話さないで会計が終わる、そんな光景に急速に変わってしまいました。

星野　赤の他人が、他人すぎる関係になってしまっている。それが楽だと思う人もいるかもしれませんが、弊害も大きいはずです。自分に何かあったときに、まわりの全員が他人すぎるから、誰にも助けを求められない。それがいい社会だとは、僕には思えません。

編集部　他人だと思っていればいいほうで、まわりにいるのが人間だという感覚すら失っている人も増えています。たとえば、電車のなかで化粧している人です。人がいても気にする素振りもなしに、熱中していますから。

星野　どんどん個人主義が強まっている結果でしょうか。それが楽だと思っているのかもしれませんが、個人主義もいきすぎると、そのうち孤独の辛さを味わうことになります。

何事も「塩梅（あんばい）」というものがあるじゃないですか。料理でも塩を入れないともの足りない味になりますが、入れすぎると食べられなくなります。塩を入れすぎたと思ったら、水を足すなりして、薄める必要があります。

それと同じで、いきすぎた個人主義は戻す作業が必要です。そうしないと、淋しい社会になってしまいます。

その傾向は日本だけでなく、どこの国でも強まっているのかもしれません。大きい都市になればなるほど、その傾向は強まっている気もします。

しかしカメルーンは、都会であっても、日本ほど他人がまったくの他人になっていません。もっと人と人との繋がりがあります。日本もそれくらいには戻したほうがいいと思います。

●ぶつかるなよ！　バンバン

編集部　世界各国で都市ほど個人主義が強まっているのではという星野さんの指摘がありましたが、モーガンさん、ニューヨークはどうですか。日本、とくに東京のように他人すぎる人間関係なのでしょうか。

モーガン　私はニューヨークには数回しか行ったことがありませんが、正直に言うと、あまり関わりたくない街です。ニューヨークの人たちは、他人を「面倒くさいヤツだ」という前提で行動していると思います。

先日、面白い動画を見ました。別の州からニューヨークにやってきた観光客の女性がプロポーズされて、高い建物から「いまプロポーズされました。ニューヨークに報告します」って大声で叫ぶのです。すると、まわりから「うるせぇー、黙れ」という声が返ってくる。「おめでとう」と返してあげてもいいのに、「うるせぇー」ですからね。ニューヨーク、そういうところです。

編集部 それは、アメリカのどこに行っても同じような感じなのでしょうか。「プロポーズされました」と叫ぶと、どこでも「うるせぇー」と返ってくるのでしょうか。

モーガン アメリカでも南部は、カメルーンと同じような雰囲気です。きっと「おめでとう。幸せに！」と返ってくるはずです。というよりも、南部では建物の屋上から、「プロポーズされました！」と叫ぶことはまずないでしょう。ニューヨークに行ってノリノリになりすぎて、そうしたくなったのかもしれませんが、南部では、まずそういうことをしようと思わせる雰囲気がありません。

一方で南部では、「よそ者」はいないという雰囲気がとても強い。誰とでも話したがるおばさんばかりです（笑）。スーパーのレジで待っているとき「あなた、どこから来たの」と隣の人が話しかけてきたことがあります。答えると、「そこには、うちの叔父が住んでるのよ。子供が三人いるんです」とか、ずっとしゃべっている。その人の名前さえ知らないのに、そうやって気軽に世間話をするのです。

南部はそういうところですが、ニューヨークではあり得ない。知らない人に親しげに話しかけたら、変な人だと思われるか、自分に危害を加えるつもりかもしれないと用心されてしまいます。

編集部　東京も同じかもしれません。話しかけたら、「めんどくせぇー」と思う人が大半のはずです。

モーガン　ニューヨークと東京は、ちょっと違う気がします。混雑した駅を歩いていると、よく人とぶつかりますが、東京の人は気にするでもなく行ってしまいます。二回ほど、目の前の人がホームでぶつかって、ケンカになった場面に出くわしましたが、あれは例外だと思います。

ニューヨークだと、すぐガン・バトル（銃の撃ち合い）になるはずです。「ぶつかるなよ！てめぇ！」バンバン。こんな具合です（笑）。もう面倒くさいを通り越して、他人は「消したい存在」でしかない。

●「素直さ」と「疑う力」

編集部　では、アメリカのこんなところは日本に導入したほうがいい、というところはありますか。

モーガン　政治家を疑う力ですね。政治家は嘘をついているに決まっているし、ほんとうのことを言わないのが政治家の仕事です。

日本も同じです。河野太郎は嘘ばっかり言っているので、「デマ太郎」と呼んでいる人までいます。その通りだと、私も思います。

にもかかわらず、日本人は政治家の言うことを簡単に信じすぎる気がします。疑いを持とうとしない。政府が言っていることも、もっと懐疑的になって聞く必要があるのではないでしょうか。

編集部　日本には「お上(かみ)」という言葉があります。「上」の施政者に対して「下」の庶民は、お上の言うことに従わなければいけないとDNAに刷り込まれてしまっているのかもしれません。疑うことを最初から排除しているのかもしれない。

モーガン　その考えかたは面白いですね。アメリカのDNAは逆で、政府は国民の敵だから言うことを聞いてはいけない、と考えています。

ロナルド・レーガンが大統領のとき、「I'm from the government and I'm here to help.（私は政府から来て、助けるためにここにいます）」と演説しました。レーガンはその直後に「これほど恐ろしい英語は存在しない」と言い、観客も大きくそれに反応しました。私もレーガン大統領が言った通りだと思っています。大統領が自分たちを助けてくれるなんてことを信用していたら、とても酷いことになります。政府や大統領にそんなことを言われたら、頭に浮かぶのは「逃げろ」のひと言です。

星野　先ほどモーガンさんは、日本から学ぶべきは「素直さ」だと言われました。そして日本がアメリカから学ぶべきは、「疑うこと・疑う力」だとおっしゃる。対極ですよね。それが面白いと思って聞いていました。

モーガン　自分が悪いことをしたら素直に認める。これは私が日本に来て学んだことですが、アメリカ人の私にとっては難しいことです。どうしても、他人のせいにしてしまうのがアメリカ人です。

少し前に、凄く雨が降っているときに、三〇分もバス停で待たされました。膝から下あたりがビショビショになりました。ようやくバスが現れたときに、運転手に怒声を浴びせたいと思っている自分がいました。しかし、それを抑えて、黙ってバスに乗って通路に立っていました。それは、長年にわたり日本に住み、日本人から作法を学んだ結果だと思います。アメリカ人がある程度日本人になったと言えるかもしれません。

運転手が意図的に遅らせたわけではないのに、自分のなかでは「コイツが遅れて来たからビショビショになった」と思い込んでいました。少し冷静になると「悪いことを考えてしまったな」と思いました。私はまだまだ学習中なのです。

アメリカ政府も同じで、悪いことばかりやっているのに、絶対に認めないし、謝りません。それは、日本の政府も同じだと思います。

だから政府、政治に対しては懐疑的になる必要があるし、政府や政治の世界にいる人は日本的な素直さをもっと学ぶべきだと思います。

第六章　死とサムシング・グレート

●悪魔はいるのか

編集部　日本には「お天道様が見ている」という言いかたがあります。誰も見ていなくても、お天道様——太陽、もしくはすべてを見通す超自然の存在——はきちんと見ているから悪いことをしてはいけない、との意味です。そういうＤＮＡが日本人にはあって、それが悪事を防いでいるとも考えられます。

星野　それを考えた人は凄いですね。どうやったら国を治められるか考えて、人の目は森のなかに入ってしまったら届かないけど、お天道様なら、どこまでも追いかけてくるので誤魔化せない。その考えかた、システムを広げたのは画期的です。

モーガン　面白いですね。アメリカでは、「バチが当たる」とよく言われます。私はよく弟をいじめていたのですが、そのあとに転んでケガすると、「ほら、神様が見ていたんだよ。弟をいじめたバチが当たった」と母に言われたものです。

バチを当てるのは神様なのですが、じつは自分の心なんです。弟をいじめるのは悪いことだとわかっていながらやるから、自分の心が報いを呼び寄せて、バチが当たってしまう。

星野　バチが当たっても、また弟をいじめる（笑）

モーガン　はい、何回も繰り返しました（笑）

編集部　繰り返すのは、「神様が見ている」と信じていなかったからですか。

モーガン　信じています。ほんとうに信じているけれど、それでも、やってしまいます。そういうときは、悪魔のせいにします。英語で、「The devil made me do it.」です。悪いことをしたのは悪魔で、もう悪魔はいなくなったので大丈夫といった使いかたをします。

父にチョコミルクを買ってもらって、家に戻ると二歳か三歳だった弟がいて、その弟の頭にチョコミルクをかけてしまったことがあります。もちろん弟は泣き出しましたが、そんなことをやっている意識が自分にはない。そのとき、「悪魔がやった」と説明したのですが、それは通じなかった。「おまえがやったじゃないか。見ていたぞ」と、父に怒られました（笑）

編集部　同じ言いかたが日本にもあって、「魔が差した」と言います。悪魔が心に入り込んで判断や行動を誤った、という意味です。

星野　日本の幼稚園・保育園、小学校、中学校に通っているときに、「お天道様が見ている」みたいなことを言われた気はしますけど、その考えかたを中心に教えられた記憶はありません。

どちらかというと、日本の昔話――お爺さんとお婆さんの昔話で教えられたという記憶があります。善いお爺さんは良いことをしたから良い結果になって、悪いお爺さんは悪いことをしたからバチが当たった、みたいな話を、とくに幼稚園・保育園でたくさん聞かされた記憶があります。その、お婆さんバージョンもあるわけです。そういう昔話で、善いことをすれば良い結果になるけれど、悪いことをすれば悪い結果になる、と日本の子供たちは教えられて育ってきたような気がします。

モーガン アメリカの文化人類学者のルース・ベネディクトによって書かれた『菊と刀』（長谷川松治訳 講談社学術文庫）は、西欧の罪意識を重視する「罪の文化」に対して、日本は世間に対する体裁や面目を重視する「恥の文化」だと指摘しています。誰かに見られていたら世間体が悪いのでやらないけど、見られていなければ大丈夫、それが日本の文化だというわけです。

編集部 『菊と刀』は先の大戦末期にアメリカの戦時情報局からの要請でベネディクトが書いたもので、刊行は終戦直後の一九四六年です。そうした経緯からも、プロパガンダ的な意味があったのではないでしょうか。

モーガン そうですね。「日本人に良心はないので、厳しく監視しなければならない」という考えかたに結びつくわけで、占領軍の方針に繋がったのかもしれません。皮肉なことですが、ベネディクトはもっと恥を知れば良かった。

●悪魔に取り憑かれて殺人

星野　「アフリカには黒魔術があるんでしょう?」と日本人に訊かれることがよくあります。

編集部　敵とか、恨む相手を呪い殺すといった、あの黒魔術ですか。

星野　そうです。「そんなの作り話じゃないの」と僕は答えていたし、思っていたんですが、カメルーンに帰ってみたら、けっこうガチで黒魔術が信じられていて驚きました。村に災いがあると、「誰かに呪いをかけられた」ということになる。隣の村が祈禱師を呼んで、この村を呪わせた、と僕に本気で説明するんです。

　母もそういうところがあって、ちょっと良くないことがあると、「誰かに呪いをかけられた」と、普通に言います。

モーガン　それが、カリブ海経由でニューオリンズに流れてきています。ニューオリンズでも、黒魔術を信じている人はたくさんいます。

編集部　『エンゼル・ハート』という黒魔術系の映画がありました。悪魔に憑依されて、自分が知らないあいだに殺人を重ねていく、といったストーリーだったと記憶しています。原作ではニューヨークだけが舞台でしたが、映画では前半はニューヨークですが、後半は舞台をルイジアナ州に移しています。南部に黒魔術のイメージがあるからかもしれません。

星野　日本人は自分の精神をコントロールできると思っているから、罪を犯しても心神喪失だと刑を軽くされるケースに怒る人が多い。しかし、悪魔に取り憑かれることがあり得ると受け取る国では、悪魔に取り憑かれて殺人を犯したという弁解に理解があって、刑は軽くていい、といった意見が出てきたりするはずです。

編集部　なるほど。罪についても、宗教的な背景で判断が違ってくるということですね。

星野「混乱した」は、日本語ではあくまで能動態で、自分がやったことになります。しかし英語では「confused＝混乱させられた」で、受動態になります。

これは僕が英語を勉強しているときに、かなり驚いたことでした。混乱しているのは自分なのに、なんで「混乱させられた」と受動態になるのか、理解できませんでした。

日本は能動態の国だから、事件を起こした人には厳しく個人の責任を追求する。しかし受動態の国だと、「おまえの責任ではないよ」というニュアンスが入ってきます。

編集部　星野さんは、黒魔術とか呪いみたいなものを信じていますか。

星野　僕はサイエンス的思考の人間なので、基本的に迷信などは信じないので、黒魔術も信じません。

モーガン　私は信じるほうかもしれません。ちょっと変なことがあると、「呪われている」と考えてしまいます。「9」がマジックナンバーだと信じていて、出かけるときに鍵をかけたか、九回確認しないと安心できない時期がありました。

星野　すぐに「呪われているせいだ」にしてしまう習性は、すべてを他人のせいにしてしまって、自分の責任を逃れることでしかないと、僕は思っています。

外出中に事故に遭ったら、「誰かに呪われたから」とか「誰かに嫉妬されているから」とカメルーンの親戚たちは話します。しかし僕に言わせれば、「あなたが疲れていたか、注意力が散漫になっていたのでは？」ということになる。大雨で橋が壊れたら「呪われたから」と主張する人がカメルーンの田舎の親戚に多くいたけれど、それは大雨を想定した強度を持たせる設計をしていなかったからです。

事故にしても橋にしても、原因を究明していけば解決策を見つけることができます。同じ間違いをしなくて済む。しかし呪いのせいにしてしまうと、原因を究明する発想にならないので、解決策も見つからない。だから、発展性もない。

モーガン　私は、科学と迷信の両側に住んでいます。だから、神話も抵抗なく理解できます。

星野　宗教にしても神話にしても、創られた意図があります。だから、宗教も神話もＳＦ作家なら創れる、と僕は思っています。

どこの国の神話も、同じような話です。なぜ自分たちが存在しているのか、ほんとうのところはわからないから、そこに神様を持ってくる発想になります。

僕たちは、両親がいて生まれてきたので、それと同じように人間や万物を生みだした存在があると考えるのは自然です。その生みだした存在を、人間を超えた神様にするのだと思います。

その意味で、黒魔術などの迷信と神話は似たところがあるのかもしれません。

●空気のような宗教

星野 僕は、日本は宗教的な国だと考えています。神社に行ってお守りを買ったりしますけど、あれは宗教的なグッズ（小物）ですよね。よくわからない紙をもらって、それで安全になるという発想は、考えてみると不思議ですよね。まさに、宗教的と言わざるを得ない。

編集部 宗教以外の何ものでもありません。

星野 僕は宗教的ではないので、お守りを買いません。ただ、お賽銭（さいせん）を入れる音や神社の鈴の音は好きで（笑）、気持ちを整えるために鳴らしたりはします。宗教的な意味ではなく、神社やお寺の雰囲気は好きで、その文化を守りつづけていることへのリスペクトはあります。

しかし日本人の多くは神様に自分の願いが通じると思ってお守りを買ったり、鈴を鳴らしたり、お祈りしたりしていますよね。

編集部　一生懸命に祈っている人はたくさんいます。神様が願いを叶えてくれると信じているからでしょう。

星野　お盆は、その時期にご先祖様が帰ってくると信じてやっていることです。信じている日本人は多いと思います。

僕はそれを信じません。ご先祖様が帰ってくるなんて思えない。そういうことに確信を持てないから、そういう行事は「宗教的だな」と思ってしまいます。

飲食店の玄関に塩が置かれているのを見たりします。縁起担ぎだと思いますが、日本の宗教的な思想がない人には、ただ塩を積みあげているとしか思えない。塩に塩以上の意味を感じることはできないはずです。

編集部　「盛り塩」ですね。お客を呼ぶという、縁起の良い風習になっています。

星野　塩を玄関に置いて、お客が来るわけがない。でも、それを信じている。そういうことから、日本は充分に宗教が浸透している国だと思います。

モーガン　同感です。ご飯を食べる前の「いただきます」にしても宗教です。誰に対しての

「いただきます」なのかわかっていなくても、「いただきます」と言うわけです。あれは、言うことで神に通じているのではないでしょうか。お地蔵さんの前で頭を下げるのも、物理的なパフォーマンスではなくて、神と通じているという宗教的な行為です。

星野 日本は宗教に強く依存していると思います。宮崎駿監督の『もののけ姫』に、消えては現れるたくさんの「こだま」が登場しますが、あのこだまのように、日本人の生活にはいたるところに神が現れたり消えたりしている。もう溶け込みすぎてしまって、日本人は宗教だとさえ気づいていないのかもしれません。日本人にとって宗教は、空気のような存在かもしれない。

編集部 「八百万（やおよろず）の神」という言葉もあります。神道で、あらゆる現象や物にも神が宿っているという考えかたです。太陽というお天道様も、そのひとつであるわけです。

星野 日本人は、道具をとても大事にしますよね。楽器を何かにぶつけてしまうと、「ごめん」と楽器に謝っている。あれは、道具に対する愛着だけでなく、そこに神様が宿っているという意識があるからかもしれません。

モーガン 私は、日本人が物を大事にするところは大好きです。

星野 二足歩行の人間型ロボットが開発されていて、インターネットで動画が流れています。安定性を実験するために、足で蹴ったり、棒で突いたりしている。その動画の掲示板を見ると、

「かわいそう」というコメントがいっぱいあるのです。書き込んでいるのは日本人です。
　僕にしてみたら、「あれはロボットだよ」と言いたくなる。人間なら、蹴られたり突かれたりしたら、かわいそうと思うかもしれないけれど、ただの機械だから、魂や命があるわけではないから、かわいそうとは思いません。かわいそうと思う日本人の感覚は、その機械にも神様が宿っているとか感じているからかもしれません。

モーガン　その動画は、私も見ました。そして、かわいそうだと思いました。ロボットを蹴っている人を大嫌いだと感じました（笑）

編集部　とくに女性に多いのかもしれませんが、自分の持ち物、自転車とかに名前をつける日本人はいますよね。

星野　僕も自分の自転車に名前をつけていました（笑）。シーバという名前で、新しい自転車を買ってもらっても、それもシーバです。古くなって破棄した自転車の魂が新しい自転車に移ってきているから、やはりシーバなんです。そういうところは、日本人的なのかな。

編集部　自転車に名前をつけていると話すと、カメルーンではどういう反応が戻ってくると思いますか。

星野　わかりません。「頭がおかしい」と思われそうな気がします。実際に言ってみたことがないので、どういう反応なのかわかりませんけどね。

しかし、カメルーンにも精霊信仰があって、森のなかの、いろいろなところに精霊や悪魔がいると信じられています。そこは、日本と共通するところなのかもしれません。

編集部　そうすると、カメルーンの人たちも道具を大切にするわけですか。

星野　必需品として大切にはするけれど、日本人の物に対する考えかたとは違うと思います。森とか動物など生きているものには精霊があるけれど、道具のような物にまで精霊を感じてはいないはずです。あくまでも、僕が見聞きしている範囲でのことですが。

私は日本人が物を大事にするところは大好きです
二足歩行の人間型ロボットが開発されていてインターネットで動画が流れています
安定性を実験するために蹴ったり棒で突いたりしている
その動画を見た日本の人々は掲示板に「かわいそう」というコメントを多く書き込んでいる
人間なら蹴られたり突かれたりしたらかわいそうと思うかもしれないけれど……
ただの機械だから魂や命があるわけではない
かわいそうと思う日本人の感覚は
その機械にも神様が宿っているとか感じているからかもしれません
その動画は私も見ましたそして
かわいそうだと思いました
ロボットを蹴っている人を大嫌いだと思いました（笑）

●ペットロスの感覚

モーガン　先ほど自転車に名前をつける話が出ましたけど、クルマにも名前をつけていました。クルマで急な坂を登っているとき、ダッシュボードを撫でて名前を呼びながら、「もう少しだ、頑張れ」とか声をかけていました。

たぶん、牛や馬を飼っているのと同じ感覚かもしれません。牛や馬には名前をつけて可愛がりますが、それと同じ感覚かもしれません。

編集部　日本では、クルマに名前をつけているというのは珍しいかもしれません。多くの日本人が牛や馬を飼っていないせいなのかな。ちょっと不思議です。

モーガン　いまでもクルマに名前をつけています。うちの愛車の名は、「ビュートちゃん」です。ガソリンは、スペシャルドリンクと呼んでます（笑）

生きものと同じ感覚で、ぶつけたことがあって、そのときはビュートちゃんに謝りました。クルマも家族の一員という感覚です。

編集部　それは、アメリカでは一般的なことなのですか。

モーガン　一般的ではありません。私が日本的すぎるのかもしれません。しかし、子供のころ、母がクルマに名前をつけていましたので、私がそれを受け継いで、持ち込んだのがたまたま日本だったとも言えるでしょう。

編集部　ペットの犬や猫に名前をつけるのは、日本もアメリカも同じだと思います。いまでは人間以上の存在で、死んでしまうと悲しみから抜け出せない「ペットロス」という言葉まであるくらいです。

モーガン　日本在住のアメリカの友人が、一時帰国してから戻ってくると、日本だと実感することがある、と言っていました。それは、自分の服より高そうな服を犬が着ているのを見たときだそうです。

星野　そうなんですか。アメリカでは犬に服を着せたりしませんか。

モーガン　あまり聞きません。ニューヨークの高級住宅地に住んでいるお金持ちのおばさんたちだったら、犬にドレスを着せているかもしれませんが、一般的にはそういうことをしません。うちの犬にも服を着せたことはないし、ずっと生まれたままの姿です。あっ、冬になるとセーターを着せます。やはり、私は日本的なのかもしれません（笑）

編集部　最近では、乳母車に犬を乗せて散歩しているお年寄りもいますからね。

モーガン　犬にとっては、散歩ではありませんよ。

星野　大事にしているつもりかもしれないけど、犬にしてみれば迷惑なだけかもしれません。犬を大事にしているというより、淋しいから、自分の孫のように扱いたいだけのように思えます。人って子供や孫に囲まれて一緒に生活しているのが幸福を感じやすい状態で、ひとりで暮らすのは辛い。だから、犬を家族のように扱うのかもしれません。

編集部　カメルーンの田舎のように、親戚が近くにいて、大家族のように暮らすのが理想かもしれません。それができないから、代わりをペットに求めている。物を大事にする精神とか、宗教とは話題が離れてしまったかもしれません（笑）

●いじめが顕現していること

星野　話を学校のいじめに発展させていいですか。

赤の他人ばかりが学校のようなひとつの場所に集められていることが、人間の生活としては異常なことだと思います。カメルーンでは、田舎ならまわりは親戚だらけです。都会でも大きな家に、親戚が二〇人くらい一緒に住んでいるのも珍しくありません。

すると、大勢の親戚と学校に行くことになります。大勢だから、いじめられるわけがない。もし僕をいじめたら、星野ファミリーを敵にまわすことになるから、怖くてできません。

日本だと、とくに都会になると、同じ学校に親戚がたくさんいるケースは、なかなかありません。ポツンポツンと個でしか存在していない。孤立無援な状態で、いじめもしやすくなりますよね。しかも学校やクラスという狭い集団のなかに閉じ込められるので、なおさら、いじめのようなことが起きてしまうのだと思います。

編集部　強い絆で繋がった大家族の暮らしが大事なのかもしれません。モーガンさんはアメリカの南部育ちですが、親戚とかがまわりに多い暮らしだったんですか。

モーガン　血の繋がった親戚ではないけれど、親戚みたいな存在はたくさんいました。親の幼なじみがたくさんいて、おじさんとかおばさんと呼んでいて、その人たちの子供は「従兄弟だ」と言っていました。親戚と同じです。

毎月、誕生日会をやったり誰かの家で夕食を食べたりしていました。だから、親戚のような絆がありました。

星野　赤の他人ばかりが集まっているより、血縁的な絆で結ばれている者が集まっている社会のほうが、いじめは起きないと思います。赤の他人同士だと絆も弱いので、いじめのようなことが起きてしまう気がします。なかには面倒くさい親戚もいたりするけれど、それでも親戚だらけの集団のほうがいいと思います。

編集部　東日本大震災の復興で「絆」が強調されましたが、最後に大事になってくるのは、やはり絆かもしれません。それには血縁だし、親戚みたいな仲間が頼れる存在になる。それが、いまの日本では失われてしまったのでしょうか。

星野　便利な世の中になりすぎたのかもしれません。便利になりすぎると、親戚にも他人にも頼る必要がなくなります。そうなると近くに住む必然性もなくなるので、離れて暮らすようになり、さらに絆も弱くなります。赤の他人なら最初から絆は弱い。最終的に頼れる存在がいなくなっている、それがいまの日本のような気がします。そのひとつの結果が、いじめというかたちで現れているのかもしれません。

●死について

編集部　宗教的なところに話を戻しましょうか。漠然とした質問ですが、「死」について、どう考えていますか。

星野　僕は、小さいころから死をたくさん見聞きして育ってきました。そもそも親戚が多くて、祖父母の子孫だけで一〇〇人以上もいますから、亡くなる人も多い。

くわえて、カメルーンの僕の地元では、誰かが死んだら村中の人に知らせる慣習があります。

母が日本にいても、そういう知らせがカメルーンから必ずあります。知らせがあると母は僕たちに伝えたし、別の家に暮らしているいまでも、誰それが亡くなったと連絡があれば、僕に電話をかけてきます。

誰それが亡くなったと聞いても、カメルーンにずっといたわけではないので、誰だかわからない場合がほとんどです。日本のように医療が発達してもいないので、若くして亡くなる人も多い。だから、死は身近な存在でした。

編集部　死に対する受け取りかたは、日本とは違っていたりするのでしょうか。

星野　基本的には変わりないと思います。ただ、葬式は違います。

日本の葬式は、みんなが黒い服を着て、しめやかに行われますよね。しかしカメルーンでは、みんながカラフルな服を身にまとって、お祭りのように派手な音楽を奏でて踊って、明るく死者を送ります。

神様のところに行くのだから明るく送り出そう、という感じです。ただし、埋葬のときになると、やはり、みんな泣いてしまいます。

モーガン　ニューオリンズの「セカンド・ライン」に似ています。ブラスバンドを伴った伝統的なパレードで、「ジャズ葬」という葬儀のパレードで、親戚などのファースト・ラインの後ろからブラスバンドの音楽とともについていくのがセカンド・ラインです。

編集部　セカンド・ラインを何かの機会に見たとき、あまりにも陽気で、葬式だとは思いませんでした。

モーガン　葬式に見えませんよね。しかし、陽気だからといって、「死んで良かった」と喜んでいるわけではありません。辛い人生を終えて、お疲れさま、という気持ちなのだと思います。ニューオリンズにはアフリカから無理やり連れてこられた人たちを先祖としている人もたくさんいます。南部には、苦しみを人生のベースだと捉えている人が多いと思います。対する北部の人は楽観的で、いつでもなんでも笑顔という感じです。南部は、やはり辛い経験が背景にある人が多い。だから、「辛い経験をしたから」という意味からかもしれませんし、単純にアフリカ式なのかもしれない。

ただし、私はセカンド・ラインに素直に参加する気にはなれません。知り合いが死んだのに、賑やかに騒ぐことには抵抗があります。葬式は、しめやかにやるほうがいい。

編集部　そこも、モーガンさんは日本的ですね。

星野　日本の場合は、ほとんどが火葬しますよね。父が昨年（二〇二二年）亡くなったのですが、火葬は母にとっては大きなショックだったみたいです。姿形がなくなって骨だけになってしまう、あれは母には恐怖でしかなくて、火葬場には入ってきませんでした。

カメルーンでは土葬が普通です。土に埋めて、自然に土に還るべきだと考えられているからです。

モーガン お母様の気持ちはよくわかります。日本で葬儀に参加したことがありますけど、火葬されて骨になって出てきます。手術をして骨を止めていたような金属が、そのまま残っていたりしました。

死んだらこんな姿にはなりたくない、と私は思いました。そして、「骨上げ（こつあげ）」と言うんですか、参列者が死者の骨を壺に納めますが、ふたりひと組になってひとつの箸を使って、骨を拾って壺に入れていきます。落とさないように神様に祈りながらやりましたけど、もう身体が麻痺したような状態でした。

編集部 焼かれた骨を見るのは、親族はもちろん、参列者にとっても辛いことです。

モーガン 魂と身体は別だと考える仏教の影響だと聞いたことがあります。

魂とこの世を繋いでいるのが身体で、アメリカ（キリスト教）では死んでもまた蘇るという考えかたをしますから、蘇ったときに身体がないと戻るところがない。それは、死以上の恐怖です。

編集部　アメリカは土葬ですか。

モーガン　土葬が普通ですが、ニューオリンズは湿地なので、土葬ができません。高い壁のような、ロッカー型の集合墓地が多くあります。大理石のパネルを開けて、腐敗しないための薬を注入した遺体を納めた棺（ひつぎ）を、中に入れます。

編集部　やはり、目の前で骨を見るのはショックですよね。

モーガン　日本の文化を否定するつもりはありませんけど、凄くショックでした。人間は永遠に生きると信じたいので、私は死んでも身体は残しておきたい。

編集部　日本でも昔は土葬で、火葬が一般的になったのは江戸時代後期くらいからだと言われています。伝染病を広げないためとか、いろいろ理由はあったようです。

いまは火葬が一般的になって、小さいころから葬式に参加して、火葬を経験しているので、日本人はあまり驚かないのかもしれません。

星野　死ぬのが怖い、という気持ちはありますよね。ずっと死のことを考えていたら、ノイローゼになってしまうくらい怖い。火葬だと、その死を目の前に突きつけられた感覚になるのではないでしょうか。

モーガン　棺に納められた遺体を見ても、まだ生きているようで、息を吹き返すのではないかと思ってしまいます。骨になったら、その期待もできないわけです。

星野　カメルーンでも、亡くなった人が骨になった姿を見ることはありません。遺体の状態でサヨナラして、土に埋めます。

編集部　先ほど骨上げの話が出ましたが、東日本では基本的にすべての遺骨を骨壺に納めますが、西日本では東日本より骨壺が小さく、一部の遺骨だけを納めます。東日本でも身体の大きい人だと、全部が骨壺に納めきれない場合があります。骨壺に納められずに残った遺骨は、まとめて残骨供養堂や永代供養堂に埋葬されるようです。

　同じ身体にあった骨が、引き離されてしまうわけです。それを実際に経験すると、さすがに日本人でも驚くようです。

星野　シュールと言うか、とても不思議な気がします。そこまで知らなくても、やはり遺体を焼くことにカメルーンの人は抵抗がありますね。父が亡くなったときに母は、火葬すると聞いた瞬間に気絶しましたからね。

編集部　そこまで抵抗感があると聞くと、そっちのほうが不思議に思えてきます。

星野　それくらい、日本では火葬が当たり前になっているということです。愛していた人が、遺体であっても人の形をしていたのに、数十分後には骨だけになってしまえば、衝撃です。

●戦場でも遺体は焼かない

編集部　死についての話を続けたいと思います。いまでもアメリカでは戦争で亡くなる人が多いのですが、そういう戦死者もすべて土葬するのでしょうか。

モーガン　最終的に撤退しましたが、アフガニスタンでも戦争をしていて、戦死した兵士の棺が星条旗に包まれて、飛行機でアメリカ本土に送られてきます。その棺を土葬にしますけど、ほんとうに遺体が納められているのかどうかわかりません。戦争ですから、身体が残っているのかどうかわかりませんからね。

でも海軍の場合は、洋上で戦死者が出た場合は「水葬」にするはずです。遺体を海に葬るわけです。海上で作戦行動していると、簡単に寄港するわけにはいかないし、寄港できるにしても時間がかかります。そうすると遺体の保存が難しくなるので、土にではなく海に葬るわけです。

編集部　広島に原爆が落ちて、たくさんの人が亡くなりました。あのとき、昼夜にわたっていたるところで死体を火葬したので、その煙が街中に立ち込めていたそうです。

ああした場合でも、アメリカは火葬ではなく、土葬にこだわるのでしょうか。

モーガン　詳しいところは、わかりません。想像するに、大きな穴を掘って死体を入れ、その上からquicklime（生石灰）を撒いて処理するかもしれません。そうすることで臭いや伝染病の発生を防ぐことができます。

編集部　やはり土葬で、焼いて処理することを選ばないかもしれないということですね。衛生的に言えば、焼いたほうがいいような気がします。

モーガン　衛生的には、焼いたほうがいいと私も思います。それでも、アメリカ人の感性としては、できないと思います。少し考えてみると、火葬は地獄の炎を思い出させてしまうので余計に怖いのかもしれません。

編集部　いま思いだしたのですが、太平洋戦争で激戦の場になったひとつに、硫黄島がありました。そこで多くの日本兵が戦死しています。その死体を、上陸したアメリカ軍は穴を掘って埋め、その上に飛行機の滑走路を造ったという話を聞いたことがあります。敵兵の遺体でも焼かなかったわけです。

モーガン　アメリカ人（キリスト教徒）には、死体を焼くという発想がないと思います。それは、とても怖いことでしかないからです。十字架から下ろされて、聖母マリア様に非常に優しく抱きしめられたイエス様のお体、そう言ったシーンが西洋人の心に刻まれているのです。人間の死体は焼くのではなく、優しく、優しく、土に置くものだという、文化的固定観念が強い。
ネイティヴ・アメリカンと戦ったときも、大きな穴を掘って彼らの死体を投げ入れ、上から土をかぶせて終わりにしていました。仲間、敵、関係なく人間の死体はやはり、土葬します。

編集部　先ほども言いましたけど、日本で火葬が一般的になったのは江戸時代の後期からです。そんなに大昔から火葬だったわけではない。田舎だと、数十年前くらいまでは土葬にしているところもあったはずです。

星野　まだ歴史は浅いのに、いまでは違和感なく行われていることに驚いてしまいます。死は人にとって大きなことなのに、そう簡単に切り替えられることにビックリです。

●命について

編集部　死の話を先にしてしまって、順番が違うかもしれませんが、「命」について触れたいと思います。

モーガン　日本は、命を大事にしている気がします。義理の父は鹿狩りが好きで、しょっちゅう鹿を銃で撃ちに出かけていました。美味しい肉が手に入るという理由だけで、鹿を撃ち殺していました。そして、それに対して何の抵抗感も持っていません。

日本だと、猟師でも獲物を供養したりします。命を大事にしているからだと、私は考えています。

編集部 動物を殺すのにヘビやカエルはいいけれど、猫とか犬は殺してはいけない、という境界線みたいなものがある気がします。

星野 境界線はありますね。でも、どこに境界線があるのか、はっきりはわからない。

家に鼠が出て、ベタベタくっつく粘着板のネズミ捕りを仕掛けておいたら、掛かったんです。掛かったけど、生きている状態でした。見たら目が合って、どうしていいかわからなくなりました。次の日も、まだ生きている。それでも、どうしていいかわからない。結局、数日後に見たら、動かなくなっていたので、捨てました。

編集部 日本では、溺死させる方法が多いようです。

星野 それも、できるかどうか自信がありません。溺死させられるどうかわからないけれど、殺せる限界はネズミくらいかもしれません。

犬や猫を殺している例もあるようですが、そこまでいくと、すぐ人までいってしまう気がします。人まで殺してしまう。猫みたいに人間が感情移入できる動物を殺せるのは、異常だと思います。

編集部　人によるところはありますが、私は虫には感情移入できません。だから蚊や蠅を殺しても罪悪感はほとんどない。

星野　あっ、でも、食べるとなると別かもしれません。カメルーンでは、小学生でも食事用に鶏を平気で殺します。

僕は、できなかった。大人になってからカメルーンに帰ったとき、「ルネ、おまえもそろそろ鶏を絞められないとな」と言われました。絞めるとは、殺すことです。

「カメルーンのこの村の出身なのに、鶏も絞められないとは、日本で甘やかされているからだ」と責められました。そして小学校の高学年くらいの子に「教えてやるよ」と言われて、「お願いします」と言ってしまった（笑）

カメルーンで育った子にしてみれば、鶏を絞めるのは調理の一環でしかない。下処理の一環です。よく鶏肉を食べているから、普通にやることなのです。

見せてもらったら、ギエッーって暴れてる鶏を抑えつけて、その首を鉈でバーンッと切り落とした。首が飛んでいるのに、その鶏はまだ暴れている。

それを見たあと、別の鶏を持ってこられて、「次は、おまえの番だ。オレが抑えといてやる」と言われたのですが、とてもできない。「できません、ごめんなさい」と子供たちに謝ったら、

「偉そうにパソコンを叩いているけど、鶏も絞められないのか」とバカにされてしまいました（笑）

三〇歳を過ぎた男が、鶏も絞められないなんて、カメルーンの田舎では考えられないことなのです。

編集部　いまの日本人もできないはずです。ちょっと前の日本人なら普通にやっていたかもしれません。田舎のほうでは、自分の家の庭で飼っていた鶏を、お祝いがあるといえば、すぐに絞めて料理していましたからね。

モーガン　私も、絶対にできません。

編集部　自分たちで育てた豚を最後は食肉センターに送る学校が話題になったことがあります。『ブタがいた教室』という映画にもなりました（原案は『豚のPちゃんと32人の小学生 命の授業900日』〔黒田恭史著　ミネルヴァ書房刊〕）。

命の大切さを学ぶ食育が狙いだと説明されていましたが、それが命を大切にすることに繋がるのか疑問に思いました。

星野　その話題は、ニュースか何かで僕も見たことがあります。それを見て、僕は間違いだと思いました。

というのは、その豚を子供たちは可愛がっているわけです。先生も、子供たちが豚に感情移入するように仕向けている。

カメルーンでは、自分たちが食べる動物には感情移入しません。感情移入してしまったら、とても殺せないし、食べられなくなるからです。

食べることを前提にするなら、感情移入してはいけないはずです。名前をつけて可愛がるなど論外で、家畜として自分たちとは距離を置いておかなければならない。それでなければ、とても殺して食べることはできません。

異常ですよ。可愛がって友だちにしている動物を、ある日、殺してしまって、それを食べろと言うのは残酷すぎます。カニバリズム（共食い）に近い。

食べることを前提にするなら、感情移入してはいけない。名前もつけずに、エサだけやる存在だと、それを教えなければいけない。友人を殺して食べるようなことを教えるのは、異常です。

モーガン　そういうのは食育とはいいませんね。アメリカで牧場を経営している友人がいます。彼は七〇〇頭くらいの牛を飼っていて、子供たちが「自分の牛を飼いたい」と言うから、選ばせて、「これは、おまえの牛だ」とやるわけです。そのとき、「これは食べるための牛だよ」と念押しするそうです。しかし、自分の牛を食べる対象として認識するのは簡単なことではないはずです。そのためその牛の名前は、なんと「ディナー」とつけたそうです。普通の名前をつけたら、絶対に殺して食べられないからです。

星野　最初から、特別な牛にしてはいけないのです。家畜は家畜として、最初から扱わなければダメで、ペットにしてしまったらダメです。

モーガン　たしかに、その通りです。自分の牛、特別の牛にしてしまったら、もう家畜ではなくなってしまいます。

星野　カメルーンでも昔は、猫とか犬とかを普通に食べていました。最近では、そういう習慣はなくなったようです。

食べていたときは、子供たちも猫とか犬をペットとは思っていません。最初から、自分たちが食べる対象としてしか見ていません。名前なんかつけない。だから、食べられるのです。

名前をつけてしまったら、その瞬間から友だちだから、とても食べられなくなります。食べる対象の動物は、ペットにしてはいけません。

モーガン　江戸時代の将軍である徳川綱吉が「生類憐みの令」をつくりました。動物愛護が趣旨で、動物をいじめた人は罰せられました。犬を殺した人は死刑になることもあるような法律でした。

あれは、本末転倒です。動物の命は大事にするけれど、人間の命をとても軽く扱っている。いったい何をしたかったのか、と私は思ってしまいます。

星野　良いことをしているつもりなのに、じつは、とんでもないことをしている。先ほどの学校の話も同じですね。食育と言いながら子供には残酷なことをしている。

編集部　話は尽きないのですが、このあたりでお開きにしたいと思います。なかなかカメルーンは行けませんが、いつか行って、知らないおじさんやおばさんでも「パパ」とか「ママ」とか呼んでみたくなりました。

星野　「パパ」「ママ」と呼ぶ文化っていいですよ。お互いがリラックスできます。

僕は日本でも使います。知らないおばさんに話しかけられたときに、「おかあさん、それはですね……」と応えると和みます。いまの日本に必要なのは、そういうことなのではないでしょうか。

編集部　なるほど、そうかもしれません。星野さん、モーガンさん、ありがとうございました。

エピローグ

星野ルネ

取材が
終わっても
さらに
雑談に
花が咲いた

自分が知識や印象として
持っていたのとは違う
〝アメリカ〟の姿を
発見できた
喜びがあった
言われてみれば
アメリカの歴史も
北部の視点からの
情報で溢れているな

じかにお会いして
話したときに
日本という国への
敬意と情熱を
強く持っている
方だと感じた
そして

ふたりには
共通点が
あった
生まれた
国とは違う
日本で暮ら
している点だ

生まれた国の軸と
暮らしている
日本という軸
その間を
身も心も
往来させつつ

それぞれの
文化や歴史
社会のことなど
見比べながら
思索を続けて
きた人生

何度かお会いするなかで
日常では
話さない
ような
人類史
文化・政治
宗教など
多岐にわたる
話をした

互いの考えかたや
価値観が違う部分は
いくつもあったが
拒絶するのではなく互いに耳を
傾けながら穏やかに考えかたの
根拠やその背景を語り合った

ふたりの議論を
何か形にしたい
という考えに至り
育鵬社の
田中さんに
書籍化の検討を
お願いする
ことにした

ふたりの議論を
まとめた本に
する予定だったが
田中さんが議論に
参加したことで
さらに化学反応が
起こった

ふたりの議論のなかに
日本で生まれ育った
日本人としての
視点・体験が
加わったことで
より多角的で
広がりのある
議論になった
“三人寄れば文殊の知恵”と
いうことで、三人での議論の
模様を本にすることになった

最後まで読まれて
何が印象に
残りましたか？
どんな発見、または
共感がありましたか？

どんな異議
反論が湧き
あがりましたか？
誰が正しいか
何が正しいか
ではなく
まずあなたの考えが聞きたい

著者略歴

ジェイソン・モーガン

歴史学者、麗澤大学国際学部准教授。1977年、アメリカ合衆国ルイジアナ州生まれ。テネシー大学チャタヌーガ校で歴史学を専攻後、名古屋外国語大学、名古屋大学大学院、中国昆明市の雲南大学に留学。その後、ハワイ大学の大学院で、東アジア学、とくに中国史を専門に研究。卒業後は、韓国の慶尚北道英陽郡に英語教師として滞在。再び日本に戻り、翻訳に従事。2014〜2015年、フルブライト研究者として早稲田大学法務研究科で研究。2016年、ウィスコンシン大学で博士号を取得。一般社団法人日本戦略研究フォーラム上席研究員を経て、2020年4月より現職。著書に『アメリカはなぜ日本を見下すのか?』『リベラルに支配されたアメリカの末路』(ともにワニブックス)、『アメリカも中国も韓国も反省して日本を見習いなさい』『アメリカン・バカデミズム』(ともに育鵬社)、『バチカンの狂気』(ビジネス社) などがある。

星野ルネ

漫画家、タレント。1984年、カメルーン生まれ。4歳の時に母の結婚に伴い来日し、兵庫県姫路市で育つ。高校卒業後、兵庫県内で就職をしたが自分の生い立ちが人々の関心や共感を集めることを発見し、25歳で上京。タレント活動の傍ら、ツイッター (現・X) 上で発表していた自分の日常のエッセイ漫画が話題となり、2018年8月に『アフリカ少年が日本で育った結果』(毎日新聞出版)として出版された。著書に『アフリカ少年が日本で育った結果 ファミリー編』(毎日新聞出版)、『アフリカ少年が見つけた 世界のことわざ大集合』(集英社) などがある。

アフリカとアメリカ、ふたつの視点

思いもよらない日本の見かた

発行日　2024年2月29日　初版第1刷発行

著　　者　ジェイソン・モーガン、星野ルネ

発 行 者　小池英彦

発 行 所　株式会社育鵬社
〒105-0023
東京都港区芝浦1-1-1　浜松町ビルディング
電話 03-6368-8899（編集）　http://www.ikuhosha.co.jp/
株式会社扶桑社
〒105-8070
東京都港区芝浦1-1-1　浜松町ビルディング
電話 03-6368-8891（郵便室）

発　　売　株式会社扶桑社
〒105-8070
東京都港区芝浦1-1-1　浜松町ビルディング（電話番号は同上）

装　　画　星野ルネ

装　　丁　新 昭彦（ツーフィッシュ）

DTP制作　株式会社ビュロー平林

印刷・製本　タイヘイ株式会社印刷事業部

定価はカバーに表示してあります。

Printed in Japan　ISBN 978-4-594-09243-6

本書のご感想を育鵬社宛にお手紙、Eメールでお寄せください。
Eメールアドレス　info@ikuhosha.co.jp